Collectio[n] vous la [...] et vous l[...]

Vous avez tou[...] [...] yeux le même décor familier, le même paysage trop connu, et vous imaginez des mers coralliennes, des châteaux d'une splendeur impressionnante, des jardins féeriques à la végétation luxuriante...
Vous lisez la Collection Harlequin!

Vous faites sans cesse les mêmes gestes monotones, votre vie semble être une éternelle répétition. Vous aimeriez changer de rôle, éprouver des sentiments nouveaux et excitants, devenir une autre...
Vous lisez la Collection Harlequin!

L'amour, peut-être vous comble-t-il ou bien peut-être vous a-t-il déçue. Comblée, vous ne vous lassez pas d'en ressentir les joies. Déçue, vous voulez encore croire qu'il existe...
Vous lisez la Collection Harlequin!

Vous voulez vous évader du quotidien, vous avez envie de voir des terres inconnues, des paysages exotiques, vous désirez partager les aventures captivantes de personnages passionnés aux sentiments entiers et profonds...
Vous lisez la Collection Harlequin!

COLLECTION HARLEQUIN
Tout un monde d'évasion

LA BELLE ET LE VAURIEN

Janet Dailey

PARIS • MONTREAL • NEW YORK • TORONTO

Publié en novembre 1979

ISBN 0-373-49078-X

Dépôt légal 4e trimestre 1979
Bibliothèque nationale du Québec et Bibliothèque nationale
du Canada.

Imprimé au Canada—Printed in Canada

Elizabeth Carrel revenait d'une partie de tennis. Elle franchit le seuil de la maison, sa raquette sous le bras. C'était une chaude journée d'août. La température élevée et l'effort physique l'avaient épuisée : elle se sentait complètement déshydratée. Avec lassitude, elle s'appuya contre la porte en bois massif.

— Est-ce vous, Elizabeth ? demanda une voix autoritaire.

La jeune femme écarta les cheveux épais, noirs comme l'ébène qui lui balayaient le visage.

— Oui Rebecca, c'est moi ! répondit-elle, négligeant de jeter un coup d'œil au précieux miroir ancien accroché dans l'entrée.

Elle franchit le passage voûté qui menait au salon. Ses yeux verts se posèrent un instant sur la femme d'une élégance raffinée qui s'y trouvait. Ses cheveux gris argent admirablement coiffés brillaient sous un chapeau de paille à fleurs bleues assorti à la robe imprimée de même teinte, d'une coupe parfaite, qui mettait en valeur, malgré l'âge, la finesse de sa silhouette. Elle portait pour tout bijou une broche d'améthystes et de saphirs.

— Je vous croyais déjà partie à votre déjeuner, dit Elizabeth.

— Je devrais l'être, répondit Rebecca Carrel.

Dans sa voix mélodieuse on percevait une pointe de reproche.

— Il y a une heure, j'ai demandé à votre fille de monter se préparer pour sa leçon de musique, et elle n'est pas encore redescendue.

Elizabeth esquissa un sourire.

— Je vais voir, dit-elle à sa belle-mère.

L'escalier qui conduisait aux étages de la vieille demeure se trouvait à l'extrémité du hall. Les chaussures de tennis glissaient silencieusement sur les marches patinées par les ans, toutes luisantes de cire.

Devant la chambre de sa fille, Elizabeth s'arrêta un instant avant de frapper. Un grognement d'acquiescement lui répondit. Elle entra.

Le regard indulgent, elle considéra la petite silhouette hostile, tournée vers la fenêtre. L'insoumission se devinait aux épaules carrées et tendues.

— Bonjour, Amy.

A la voix de sa mère, l'enfant tourna sa tête brune et bouclée. Un éclair de colère passa dans ses yeux sombres.

— Suis-je vraiment obligée de prendre ma leçon aujourd'hui, mère ? Ne pourrais-je la manquer pour une fois ? Si j'étais malade, tu ne m'y forcerais pas.

— Mais tu te portes bien... D'autres occasions se présenteront où tu pourras t'en dispenser.

— Tu parles ! dit Amy, maussade.

— Ta grand-mère t'attend au salon.

— Je le sais, reconnut la petite en grinçant des dents. C'est vrai, mère, je déteste ces leçons. Madame Banks persiste à me faire travailler toujours les mêmes exercices.

— Je croyais t'avoir entendu dire que tu aimais jouer du piano, rappela doucement Elizabeth, dissimulant un sourire devant le ton véhément de sa fille.

— J'aime le piano, mais pas les leçons ni ces gammes stupides !

— L'un ne va pas sans l'autre.

6

— Oh, maman !

Le retour à un style moins cérémonieux indiquait qu'Amy se résignait. Cette fois, Elizabeth laissa paraître toute la chaleur de son amour maternel. Elle sourit franchement et, tendrement, releva le menton de sa fille.

— Va prendre tes cahiers de musique et descends, sinon ta grand-mère sera en retard à son déjeuner, ordonna-t-elle d'un ton léger.

— Plus vite je pars, plus tôt je serai revenue...

— Quel enthousiasme !

Elizabeth se mit à rire, embrassa rapidement l'enfant sur le front et la poussa vers l'escalier. Elle resta un instant à contempler la fraîche silhouette qui descendait. C'était une belle enfant qui par la suite deviendrait ravissante. Comment cette exquise petite créature pouvait-elle être sa chair et son sang ? pensait inconsciemment Elizabeth, émerveillée. Depuis longtemps, elle avait oublié que le père d'Amy avait participé à cette œuvre.

Quand Elizabeth entra dans sa chambre, la photographie de son mari posée sur la coiffeuse lui raviva la mémoire. C'était l'image d'un étranger. Leur mariage avait été si court, brutalement interrompu par l'accident de voiture où son époux avait trouvé la mort. Au moment du drame, Elizabeth ne savait même pas qu'elle attendait Amy.

La petite ressemblait à son père. De lui, elle avait hérité ses cheveux et ses yeux bruns. Mais elle différait totalement de Jeremy par son comportement et sa personnalité. Jeremy, lui, n'avait pas été élevé seulement par sa mère. On lui avait appris à assumer, le moment venu, le rôle important que sa famille exerçait traditionnellement dans les milieux d'affaires et parmi les notables de la région. Quand Elizabeth l'avait épousé, il se préparait pour le jour où il prendrait la succession de son père à la direction du cabinet juridique des Carrel et à la gestion de leurs biens. Contraire-

ment à la spontanéité d'Amy, il se conformait strictement aux conventions sociales et n'en dépassait jamais
les limites invisibles.

Elizabeth se détourna de la photographie et rencontra
son image que lui renvoyait d'un coin de sa chambre le
grand miroir mobile sur piètement de chêne. Les
chaussures de toile blanche faisaient ressortir le hâle de
ses jambes galbées. Les hanches minces soulignaient la
taille bien prise, puis la ligne s'évasait sur la plénitude de
sa poitrine.

Elle n'avait nul besoin de ce reflet pour savoir qu'elle
était très belle et paraissait bien jeune pour être la mère
d'une petite fille de huit ans.

Elle se tourna vers son placard, l'ouvrit, palpa les
étoffes, hésita, puis opta pour une sorte de caftan
ample, en coton, plus confortable qu'une robe d'après-
midi en cette journée de chaleur moite.

Elizabeth descendit, s'installa un moment dans la
vieille et vaste cuisine, et se prépara tranquillement une
citronnade fraîche. La maison était plongée dans le
calme, le moment était favorable pour la lecture des
pièces que le groupe théâtral allait présenter cette
saison.

Depuis la mort du grand-père d'Amy, deux ans
auparavant, la famille Carrel n'était plus représentée
dans le milieu d'affaires de la région, mais Rebecca
n'avait pas abandonné son action prééminente dans les
autres domaines. C'était une femme merveilleusement
organisée. Elizabeth avait beaucoup appris à son
contact. A présent, elle participait activement à ses
côtés à la vie mondaine de la communauté. Elizabeth
était une Carrel, et la jeune génération recherchait sa
compagnie comme celle de sa belle-mère.

Elle entra dans le salon et, souriant, se dirigea vers
l'alcôve où se trouvait le piano. Elle effleura les touches
d'ivoire, se souvenant de son propre écœurement lorsque, enfant, elle répétait ses gammes. Puis elle posa son
verre et tapota quelques notes pour essayer de retrouver

l'air d'une chanson. Les souvenirs lui revenaient en foule tandis que ses doigts se faisaient plus habiles. C'était à un récital de piano qu'elle avait rencontré Jeremy, que tous appelaient Jerry. Il accompagnait ses parents. On les avait présentés l'un à l'autre au cours de la réception qui avait suivi le concert.

Qui ne connaissait Jeremy Carrel ? Mais tout le monde avait abandonné l'espoir de le voir épouser une fille du pays. Pourtant elle vit une lueur d'admiration poindre dans ses yeux sombres et comprit qu'elle avait toutes ses chances. Si elle jouait bien son jeu, elle pourrait conquérir le plus beau parti de la région. Ce fut à ce moment qu'elle se décida. Et tomber amoureuse de Jerry ne se révéla pas une tâche très ardue.

Mary Ellen Simmons, la tante qui avait élevé Elizabeth depuis l'âge de onze ans, à la mort de ses parents, n'avait pas entièrement approuvé ce mariage. A dix-sept ans, Elizabeth, pensait-elle, ne pouvait pas savoir si elle voulait vraiment passer toute sa vie avec Jerry Carrel. Elle craignait que sa nièce ne fut moins amoureuse de lui qu'impressionnée par sa position sociale. Jusqu'à cet instant précis Elizabeth elle-même ne s'en était pas préoccupée. C'était étrange. Sous ses doigts la mélodie se fit plus lente et plus rêveuse. Pourquoi soudain remuer un passé si lointain ?

Sans raison apparente, une sorte d'agitation intérieure s'empara d'elle. Ses mains attaquèrent durement les touches qui émirent des sons discordants. Sa colère se retourna contre elle-même : elle avait perdu son temps en songeries inutiles. Elle l'aurait mieux employé à se pencher sur les textes qu'elle s'était promis d'étudier.

Elizabeth se glissa jusqu'à l'extrémité de la banquette, saisit son verre et se tourna vivement pour se lever. Son sang se glaça. Un frisson l'envahit tout entière : une silhouette inquiétante s'appuyait contre l'arcade du salon.

C'était un homme à l'aspect débraillé, à la chemise

bleu pâle tachée de sueur, à moitié déboutonnée, qui laissait voir une poitrine virile et bronzée. Un pantalon d'une teinte sans doute plus foncée, mais recouvert de poussière, moulait les hanches minces de l'inconnu. Une barbe de plusieurs jours assombrissait son visage aux traits burinés. Il portait un ciré jeté sur l'épaule, à ses pieds gisait un sac de toile usagé. D'une main il avait écarté de son visage hâlé ses cheveux épais couleur de tabac. Ses yeux noisette aux reflets dorés fixaient Elizabeth d'un regard à la fois intense et désinvolte.

— Que faites-vous ici ? dit-elle dans un souffle.

Elle prenait soudain conscience de l'isolement de la maison, en pleine campagne, loin de toute habitation.

— Votre récital est-il terminé ? demanda-t-il d'une voix âpre et profonde.

Elle se dressa de toute sa hauteur.

— Vous n'avez aucun droit d'être ici. Je vous demande de partir immédiatement avant que j'alerte les autorités, dit-elle froidement et d'un ton coupant.

L'homme ne bougea pas. Il souriait. Quelques fils blancs brillaient dans sa barbe.

— Si vous êtes venu pour de l'argent vous êtes mal tombé. La grand-route est à huit cents mètres. Je vous donne cinq secondes pour partir ou j'appelle la police.

La menace exprimée, elle s'avança vers le téléphone et décrocha le récepteur. A chaque instant elle s'attendait à ce qu'il l'attaque avec un revolver ou un couteau à cran d'arrêt.

— Je ne m'attendais pas à voir tuer le veau gras, dit-il en traînant la voix, mais j'espérais au moins qu'on m'offrirait un repas.

— Vous feriez mieux de filer !

Elle composa le premier chiffre, comme si elle ne l'avait pas entendu.

— Vous aurez l'air fin, petite sœur. Ce sera intéressant de voir une Carrel rouge de confusion, même une Carrel par alliance... dit-il en étouffant un ricanement.

Pour la deuxième fois Elizabeth se figea. Ses yeux

10

verts se posèrent à nouveau sur l'étranger, toujours appuyé au mur, sûr de lui et insensible à sa menace.

— Qui êtes-vous ? demanda-t-elle.

Ses doigts se crispaient sur le téléphone.

— Ai-je tellement changé depuis toutes ces années ?

Il leva un sourcil, l'air faussement interrogateur.

— Quant à vous, je vous aurai reconnue n'importe où, reprit-il. Vos vêtements de veuve vous vont à ravir... Jerry vous avait toujours beaucoup aimée en bleu.

L'appareil faillit lui tomber des mains.

— Jed ? murmura-t-elle incrédule.

— Le seul, l'unique ! confirma-t-il.

Il abandonna sa pose négligente pour se redresser.

— Me pensiez-vous disparu de ce monde ?

— Nous étions sans aucune nouvelle...

Elizabeth hésita.

— Jed... votre père a eu une crise cardiaque il y aura bientôt deux ans... il n'a pas survécu.

Les yeux fauves aux reflets d'or firent le tour de la pièce et croisèrent ceux d'Elizabeth, pleins de compassion.

— Oui, j'ai appris sa mort, finit-il par dire.

Son visage mal rasé trahissait une vague d'émotion.

— J'ai reçu la lettre de mère il y a seulement un an. C'était trop tard pour rentrer.

— Pourquoi revenir maintenant ? demanda-t-elle.

Il claqua la langue en feignant la désapprobation.

— Il est mal élevé de poser des questions indiscrètes, Liza.

— Elizabeth, corrigea-t-elle machinalement.

Il se mit à rire.

— Je vois que vous avez toujours soif de dignité.

— Je n'aime pas ce diminutif. C'est tellement...

— ... vulgaire ? L'adjectif que vous utilisiez autrefois, lui rappela-t-il. C'était peu de temps après vos fiançailles avec mon frère. Vous vous efforciez d'avoir l'air très sérieuse et très distinguée pour impressionner ma mère.

Quand je vous appelais ainsi devant eux, vous vous mettiez en colère.

— Je m'en souviens.

Son visage se tendit. Elle évitait le regard de Jed qui l'observait attentivement.

— Où est mère ?

— Elle déjeune en ville.

— Bien sûr, c'est jeudi ! J'avais oublié que c'était son jour...

Un sourire dur, ironique et méprisant, se dessina sur ses lèvres.

— Si vous désirez vous rafraîchir, il y a une chambre inoccupée juste en haut de l'escalier. Vous pouvez vous y installer. Vous trouverez des serviettes propres dans la salle de bains.

Il resta impassible.

— Est-ce une façon délicate de me faire comprendre que mon aspect vous choque ? s'enquit Jed Carrel d'un air moqueur. La route était poudreuse et la chaleur accablante.

Etonnée, elle fronça les sourcils.

— Vous êtes venu à pied de la ville ?

— C'était le seul moyen de transport disponible. L'unique taxi avait dû être pris d'assaut par les amies de mère qui se rendaient au déjeuner hebdomadaire de « la Reine »... Mon ancienne chambre en haut de l'escalier est utilisée, je suppose ?

— Maintenant, c'est celle d'Amy.

Ils s'étaient rencontrés une seule fois. Ils étaient des étrangers l'un pour l'autre. Comment avait-il pu espérer qu'elle l'accueillerait à bras ouverts ?

— Amy ? interrogea Jed, en lui lançant un regard inquisiteur.

— C'est ma fille.

— Ma grand-mère s'appelait Amy.

— Elle porte en effet le même prénom, admit Elizabeth.

— Ce choix a dû faire plaisir à mère. Est-ce elle qui l'a suggéré ?

Il avait réussi à la blesser, mais Elizabeth n'en laissa rien paraître. Elle se détourna.

— Avez-vous envie de quelques sandwiches ?

— Je préférerais un petit déjeuner. Je ne me suis pas encore habitué au décalage horaire. Pour moi, on est demain matin.

Il prit son sac de toile et, avec une souplesse de félin, se dirigea vers la porte qui menait à l'escalier. Elizabeth suivit des yeux sa silhouette mince et virile.

Après neuf ans d'absence, comment aurait-elle pu s'attendre à revoir son beau-frère ? On pouvait difficilement la blâmer d'avoir presque oublié son existence. Depuis son départ son nom n'avait été prononcé qu'une seule fois : lorsque Rebecca avait voulu lui faire part de la mort de son père. De Jed, sa famille n'avait reçu que trois cartes postales rapidement griffonnées en provenance des îles du Pacifique et de l'Asie du Sud-Est.

Certes, Elizabeth avait toujours su que Jeremy avait un frère d'un an plus jeune. Jed avait la réputation d'un enfant terrible, perpétuellement renvoyé de toutes les écoles et collèges, faisant fi des principes dont s'enorgueillissait sa famille.

Mais pour Elizabeth seul comptait Jeremy, et elle ne se souciait guère des aventures de son frère. Si par hasard elle pensait à lui, c'était pour un seul motif : elle s'inquiétait de savoir s'il accepterait son entrée dans le clan Carrel. Au fond d'elle-même, elle était persuadée que si la famille de Jeremy avait été contre leur mariage, il ne l'aurait pas épousée, quelle que fût la force de son amour.

Elle concentra toutes ses pensées sur son unique rencontre avec Jed. L'événement s'était produit un jour ou deux seulement après la demande en mariage de Jeremy. Elle avait été présentée une première fois à ses parents lors d'un bal au Country Club. Après la déclaration de leur fils, ils l'avaient invitée à dîner.

13

Elizabeth avait trouvé inquiétant et significatif qu'il ne lui ait pas encore offert sa bague de fiançailles.

Quand Elizabeth et Jeremy étaient arrivés chez les Carrel, elle était un véritable paquet de nerfs, paniquée à l'idée de commettre un impair ou de dire des bêtises. Jeremy ne lui était d'aucun secours, il s'enfonçait à chaque pas dans un silence plus épais. Son père, sa mère et Jed les attendaient dans le salon. Devant l'hostilité qui régnait, elle avait manqué défaillir : elle avait cru en être l'objet. Il lui fallut un certain temps pour comprendre que leur réprobation visait Jed.

Au début le jeune homme était resté muet, son attention moins critique qu'amusée. Instinctivement, Elizabeth devinait qu'il n'était pas de ceux qui se laissaient influencer par leurs parents pour le choix d'une épouse. Visiblement, il trouvait risible la dépendance de son frère.

A part quelques mots de banale politesse au début et une ou deux remarques occasionnelles, Jed ne s'adressa pas directement à elle durant le dîner. Ils prirent ensuite le café au salon. Son intuition lui avait conseillé de se retirer discrètement pour donner à Jeremy une occasion de parler seul à seul à ses parents. Elle s'était levée sous le prétexte d'aller se refaire une beauté. Au sourire approbateur de Jeremy elle vit qu'elle avait agi avec discernement.

Elle s'était recoiffée, avait retouché son maquillage et s'était attardée devant la glace jusqu'à la limite du convenable, tant elle craignait de revenir trop tôt. Elle se décida enfin et emprunta le couloir qui menait au salon. Jed s'y trouvait. Son expression singulière avait dissuadé Elizabeth de poursuivre son chemin.

— Ainsi vous êtes l'ange de vertu qui a réussi à capturer mon insaisissable frère, avait-il dit ironiquement, d'une voix doucereuse. Vous me faites plutôt l'effet d'une ensorceleuse à la noire chevelure.

La nervosité d'Elizabeth avait atteint un paroxysme. C'était un de ces moments horribles où aucune riposte

14

appropriée ne venait à l'esprit. Elle avait eu un faible sourire.

— Jeremy va se demander où je suis. Excusez-moi.

La main de Jed sur son bras l'avait arrêtée.

— Ils sont tous là-bas en train de décider s'ils vous accorderont ou non le privilège douteux d'entrer dans la famille Carrel... et cela ne vous tourmente pas ?

— Je n'épouserai pas Jeremy sans la permission de ses parents.

— Quel âge avez-vous ?

Les étranges yeux noisette scrutaient sa silhouette svelte et l'ovale de son visage, la jaugeant du regard.

— Dix-sept ans. L'âge de savoir ce que je veux, lança-t-elle d'un air de défi.

— Et vous êtes amoureuse de l'idée de devenir Mme Jerry Carrel, rétorqua-t-il, railleur.

— Avant tout, je l'aime... je veux être sa femme.

— Mais vous ne l'épouseriez pas si mes parents y étaient opposés...

Son ton était méprisant.

— Non, bien sûr !

— Je ne crois pas que vous l'aimiez vraiment, sinon vous lutteriez pied à pied pour le conquérir, au lieu d'attendre passivement que d'autres tranchent à votre place.

— Il s'agit de ma vie ! C'est à moi de décider. Tout cela ne vous regarde pas !

Les sarcasmes de Jed avaient provoqué cette riposte cinglante.

— Ne l'épousez pas, Elizabeth !

Le ton de sa voix s'était durci. Il la mettait en garde.

— Ne vous laissez pas éblouir par le prétendu prestige attaché au nom des Carrel. Ne commettez pas une faute que plus tard vous regretteriez.

— N'anticipez pas la décision de vos parents, dit-elle fièrement. Ils ne seront peut-être pas d'accord.

— Oh si !

Sa bouche se plissa cyniquement.

— Mon père est un homme hautement moral. Il vous tient pour pure et virginale. Il a pris ses renseignements : il sait que sur votre nom ne pèse aucun soupçon de scandale. Quand à mère, le culte que vous lui vouez la plonge dans la félicité. Elle a déjà décidé de faire de vous une belle-fille modèle, obéissant à ses ordres et se pliant à ses moindres désirs, tout comme Jeremy.

— Vous n'êtes pas très indulgent pour eux.

Lorsqu'il avait présumé avec assurance du consentement de ses parents, elle avait senti une immense joie l'envahir, presque aussitôt dissipée par l'ironie cruelle de son analyse.

— La vérité est souvent dure, Liza.

— Elizabeth ! rectifia-t-elle alors.

Son antipathie s'était accrue lorsqu'il l'avait appelée ainsi.

— Je n'aime pas les diminutifs, c'est si vulgaire.

— Tandis qu'Elizabeth a une aura de majesté, n'est-il pas vrai ? Pardonnez-moi si je ne vous fais pas la révérence.

— Pardonnez-moi si j'ai du mal à croire que vous soyez le frère de Jeremy ! répliqua-t-elle, acerbe.

— Ne vous excusez pas. C'est une énigme depuis ma naissance. Tout le monde me dit : pourquoi ne ressemblez-vous pas davantage à votre frère ?

Jed rit, sans cacher son amertume.

— Je dérange beaucoup de gens, mais je n'ai pas l'intention de changer. Je ne suis pas comme Jerry, je ne me contente pas de vivre dans l'ombre de mon père. Je me taillerai mon propre chemin dans l'existence.

— Alors vous condamnez Jeremy parce qu'il travaille pour la firme de votre père ? demanda-t-elle froidement.

— Non, si tel est son désir.

— Selon vous, il ne sait pas ce qu'il veut ?

— Pas plus que vous, répondit Jed.

— Je sais exactement ce que je veux, dit Elizabeth de toute sa force. Epouser Jeremy !

16

— Vraiment ?

La main de Jed prit le menton de la jeune fille et le releva. Les yeux agrandis par la stupeur, Elizabeth regarda le visage mince qui se penchait sur le sien. La surprise avait été telle qu'elle n'eut pas le temps de protester ni de se dégager. Elle n'était pas non plus préparée à recevoir le baiser fougueux, passionné et possessif, qui fit courir dans ses veines un feu dévorant. Tout était si nouveau, si inattendu... Elle en resta hébétée.

Quand sa brûlante étreinte s'était relâchée, elle avait vu dans un éclair les yeux constellés de paillettes d'or qui évoquaient un chat jouant avec sa proie.

— Je doute que Jeremy vous ait jamais embrassée ainsi, Liza, dit Jed avec un sourire grave. Il contrôle trop strictement ses émotions pour se le permettre.

— J'espère bien que non ! avait chuchoté Elizabeth haletante, le cœur battant à tout rompre.

Jeremy l'avait très souvent embrassée. La chaleur de leurs baisers réciproques la laissait parfaitement satisfaite. Mais jamais elle n'avait éprouvé pareille sensation : avec Jed elle s'était sentie sur le point de s'abandonner.

— Jerry n'agirait pas ainsi. Il a trop de respect pour moi, avait-elle ajouté d'une voix encore un peu tremblante mais déjà plus ferme.

— C'est tout ce que vous attendez de lui ? Son respect et le nom des Carrel ?

Il se moquait de son inexpérience, mais elle ne pouvait plus l'arrêter.

— Il voudra nouer avec vous des relations plus intimes : vous ne l'ignorez pas ?

— Certes ! Mais il le fera avec douceur et considération.

Le rouge lui était monté aux joues. Comment pouvait-il parler avec autant de liberté d'un sujet aussi personnel ?

— Je souhaite vous voir un jour assez sincère, Liza, pour me dire si c'est vraiment ce que vous voulez.

Il avait l'air de la plaindre.

— Comment osez-vous me traiter ainsi ? avait-elle demandé, indignée à l'idée de sa pitié.

— Réveillez-vous, ma petite Liza ! Jeremy n'est pas l'homme qu'il vous faut, avait déclaré Jed qui paraissait amusé de la voir perdre son sang-froid.

Soudain Jeremy avait fait irruption à l'autre bout du couloir.

— Que se passe-t-il ici ?

Il était blême de colère. Ses yeux sombres accusaient Jed et Liza. Comme prise en défaut, elle avait sursauté, repoussant vivement la main de Jed posée sur sa nuque, qui témoignait de leur étreinte. Jeremy, s'était-elle dit, va croire que c'est moi qui ai provoqué cette rencontre avec son frère. Elle avait commencé à s'expliquer :

— J'allais entrer au salon...

Jed l'avait interrompue calmement.

— C'est exact. Elizabeth se hâtait d'aller retrouver tes bras protecteurs. Mais je me suis interposé. Je voulais être le premier à embrasser ta future épouse. Elle devait savoir que je lui ferais bon accueil dans cette maison.

L'insistance de Jed fit passer un nuage d'orage dans les yeux de son frère. Elizabeth sentit que Jed le provoquait délibérément.

— Ne touche pas à Elizabeth, gronda Jeremy.

— Le moment des félicitations est arrivé...

Jed se tourna vers Elizabeth, trop paniquée pour réagir, et lui sourit.

— On a rendu le verdict. Vous allez être condamnée à vie. A votre place, je ne compterais pas sur beaucoup d'indulgence. Les Carrel ne pardonnent pas facilement : je suis bien placé pour le savoir.

— Elizabeth, viens ici ! dit Jeremy d'un ton sans réplique.

Elle passa devant Jed. Dans ses prunelles mordorées

elle lut le message implicite : elle faisait fausse route. Pour toute réponse, elle courut vers son fiancé et se pendit à son cou. Il la pressa contre lui. Voyant que son geste de soumission avait fait tomber sa colère, Elizabeth se mit à sourire.

L'attention de Jeremy se reporta sur son frère, qui demeurait à l'écart et, les yeux mi-clos, se gardait de manifester ses sentiments.

— Mère suggère que, pour sauver les apparences, tu sois notre garçon d'honneur, annonca-t-il.

— Ainsi je dois considérer comme une faveur que l'on ait daigné m'autoriser à participer à la fêté, railla Jed. A ton avis, l'importance de ce rôle m'incitera-t-elle à me montrer sous mon meilleur jour ?

— J'ai dit tout ce que j'avais à dire, conclut sèchement Jeremy. Je souhaite que tu acceptes, mais la décision t'appartient.

Sans un mot, Jed avait tourné les talons et il était parti.

2

Les souvenirs de cet incident, depuis longtemps oublié, revinrent en force. Rétrospectivement, le baiser de Jed ne paraissait plus si effrayant ni si désagréable. Cette découverte était très troublante : elle s'accordait si peu avec l'opinion qu'elle avait de lui...

Jed ne fut pas leur garçon d'honneur au mariage. En fait, quelques jours après leur rencontre, Jeremy lui annonça son départ pour une destination inconnue. Il n'avait rien ajouté, mais Elizabeth avait senti qu'il souhaitait à son frère bon vent et un long voyage. Secrètement elle avait été soulagée à l'idée que Jed ne serait plus dans les parages.

Physiquement, lui et Jeremy ne se ressemblaient pas, mais ils avaient les mêmes cheveux châtains. Jed mesurait plus d'un mètre quatre-vingts, pourtant Jeremy le dépassait de deux ou trois centimètres. Sa carrure était plus large et d'apparence plus musclée. Pour Elizabeth, Jeremy était le plus beau, il avait un visage énergique et bien dessiné, à l'expression jeune et virile.

Déjà à vingt-trois ans une certaine dureté s'était gravée sur les traits de Jed. Les années semblaient encore l'avoir intensifiée, lui donnant un masque plus amer et plus rude. Cependant, c'était son irrésistible virilité qui avait fait éprouver à Elizabeth ce sentiment si naïf d'insécurité et d'inexpérience. Elle savait pouvoir devenir le genre d'épouse que désirait Jeremy, mais à la perspective d'avoir Jed pour beau-frère, elle tremblait intérieurement. Puis il avait quitté les lieux, emportant avec lui les craintes et les incertitudes d'Elizabeth.

Maintenant, il était revenu. Pourquoi ? C'était une question sans réponse, qu'il avait esquivée avec succès quand elle l'avait posée. S'il était entré après la mort de Jeremy ou celle de son père, elle aurait compris. Mais elle ne pouvait pas croire que son retour était dicté par la piété filiale, ou par un désir irrésistible de revenir à la maison qui l'avait vu naître.

Si cela avait été le cas, il ne se serait pas présenté sous les traits d'un vulgaire vagabond, échevelé et sale. Non. S'il avait eu quelque espoir de rentrer dans les bonnes grâces de sa mère comme le seul mâle survivant de la famille, il aurait imaginé une arrivée plus flatteuse. Il aurait dépensé jusqu'à son dernier sou pour avoir vraiment l'air d'un Carrel, et n'aurait pas marché à travers champs avec un sac sur le dos, débraillé et mal rasé.

— Je serais curieux de savoir à quoi vous pensez.

Elizabeth cligna des yeux et rencontra les prunelles mordorées de Jed Carrel, si semblables à celles d'un félin. D'ailleurs toute sa personne suggérait l'arrogance nonchalante d'un fauve.

— Mes pensées…

Elle respira profondément pour maîtriser l'accélération soudaine de son cœur.

— Mes pensées… n'ont aucune importance.

Elle se tourna vivement vers le réfrigérateur, s'arrachant au spectacle qu'offrait Jed : en l'espace de quelques minutes il avait totalement changé d'aspect. Sa barbe avait disparu, révélant une mâchoire fine et des pommettes hautes. Le parfum entêtant d'une lotion après-rasage emplissait la pièce. Ses cheveux couleur tabac brillaient d'un reflet plus foncé, encore humides de la douche, et leur désordre naturel, même après un coup de peigne, ajoutait à l'impudence de son allure.

Mais, à nouveau, elle avait été frappée par sa virilité

La sensibilité de la jeune femme était éveillée par la chemise blanche à manches courtes, fraîchement repassée, à moitié ouverte. Ses muscles nerveux faisaient saillir la peau bronzée des bras nus et les boucles brunes de sa poitrine accentuaient la couleur chaude de son hâle. Sa sveltesse conférait à sa vigueur un caractère fondamentalement masculin.

Il était difficile à Elizabeth de s'affairer dans la cuisine avec son efficacité habituelle alors que Jed observait chacun de ses gestes. Elle lui jeta un bref coup d'œil. Il avait enfourché une chaise de cuisine.

— Où est votre fille ? demanda-t-il.

— En ville avec Rebecca. Elle a une leçon de piano en début d'après-midi.

— Joue-t-elle aussi bien que sa mère ?

— Amy est débutante. Elle prend des leçons seulement depuis un peu plus d'un an. Mais elle réussit bien.

— Vous ressemble-t-elle ?

— Non. Elle tient de son père.

— Dommage ! répondit Jed sèchement.

— Pourquoi êtes-vous revenu ?

Ses yeux verts, méfiants, rencontrèrent le regard oblique de Jed.

— Suis-je obligé de donner une raison ?

— Oui, dit-elle dans un souffle. Je ne peux pas croire que ce soit simplement parce que cette maison est la vôtre.

— Ne sous-estimez pas la force d'attraction du foyer où l'on a passé son enfance. On peut tenter d'arracher les racines, mais on en laisse toujours quelques-unes derrière soi.

— Etes-vous vraiment venu pour cela ? insista-t-elle.

— C'est ce qui explique que j'ai choisi de revenir *ici*, convint-il. Mais si je suis rentré aux Etats-Unis, c'est pour une bouffée de civilisation.

— Quand repartirez-vous ?

— Peut-être demain, peut-être jamais, dit-il en haussant les épaules.

— Je ne comprends pas pourquoi vous avez choisi de revenir *maintenant*.

Jed eut un sourire amer.

— Je sais que vous vous êtes disputé avec vos parents, poursuivit Elizabeth évasive.

— A mesure que je grandissais, dit Jed, j'entendais des disputes continuelles. J'étais assez bête pour continuer à croire que je pourrais faire comprendre mon point de vue à mes parents : je voulais une seule chose : vivre ma propre vie. Quand vous vous êtes fiancée avec Jerry, j'avais été renvoyé de trois facultés de droit. Mon père m'annonça ce soir-là qu'il avait usé de son influence et de son argent pour me faire admettre dans une autre. Il ne voulut pas s'incliner devant mon refus de devenir juriste et de me mêler en quoi que ce soit des affaires de la famille. Deux jours après, je suis parti.

— Je vois, murmura-t-elle.

— J'en doute.

Sa voix se teintait d'une ironie amère qui frappa Elizabeth, et lui fit vivement redresser la tête.

— En vérité je ne m'attendais pas à vous trouver ici à mon retour.

Confuse, Elizabeth eut un rire bref.

— Où pensiez-vous donc que je serais ?

— Remariée. Vous êtes très belle.

C'était une constatation plus qu'un compliment.

— Je ne peux pas croire qu'on ne vous ait fait aucune proposition.

— Je n'ai pas eu tellement d'occasions de sortir depuis que Jeremy est mort et je n'ai aucun chevalier servant attitré.

Elizabeth lui tourna le dos et s'efforça de changer de conversation.

— Voulez-vous du café ?

— Volontiers.

Quand elle posa la tasse devant lui, Jed demanda :

— Pourquoi avez-vous évité tout rendez-vous régulier ?

— Je n'ai rien cherché à éviter, répondit-elle d'un ton tranchant, réagissant à la raillerie voilée dans sa voix. Tout simplement, je n'ai pas eu beaucoup de temps libre. C'est difficile quand on a des enfants.

— On peut toujours s'arranger si on le désire vraiment, observa-t-il. Jerry n'a-t-il pas su éveiller votre instinct de femme ?

Sa question insolente lui fit relever le menton.

— Nous étions très heureux ensemble, déclara Elizabeth en proie à une colère froide. Ce qui explique probablement pourquoi je ne me suis intéressée à personne d'autre.

— Prenez-vous plaisir à être la belle veuve Carrel qui met les hommes qu'elle rencontre au défi de gagner ses faveurs ? demanda Jed, d'une voix dont la douceur même était une offense. Ou avez-vous peur qu'un jour un homme vous montre à quel point Jeremy n'était pas à la hauteur ?

Son regard glissa jusqu'à ses lèvres comme pour évoquer le souvenir de son baiser.

— Jeremy était très à la hauteur, et j'ai une fille pour le prouver. Vos questions prennent un tour beaucoup trop personnel et qui frise l'insolence.

— La capacité de procréer n'implique pas l'habileté d'un homme à stimuler le désir d'une femme.

Il rit, d'un air arrogant.

— Son respect et sa délicatesse vous ont-ils satisfaite autant que vous l'espériez ?

— Oui, dit-elle dans un éclair de colère.

— Sincèrement ? insista doucement Jed.

— Oui, sincèrement, déclara Elizabeth d'un ton ferme.

Une rage douloureuse lui montait à la gorge.

— Vous n'avez pas changé, Jed. Je vous avais trouvé insultant et arrogant la première fois que je vous avais rencontré. Les années écoulées n'ont rien modifié. Vous aviez essayé alors de me monter contre Jeremy, et vous le faites encore aujourd'hui où il n'est plus là pour se défendre. C'est répugnant et méprisable.

— En vous revoyant, je me suis moi aussi souvenu de notre première et unique rencontre, répondit-il sérieusement, l'air pensif. Vous étiez une jeune créature extraordinairement ensorcelante. Votre innocence même vous rendait d'autant plus provocante et désirable. Ma raison me dit que vous êtes mûre et non plus innocente, mais mon regard m'affirme que vous manquez encore d'expérience.

Sa voix se fit sensuelle et caressante.

— Vous êtes encore plus désirable que lorsque vous étiez une jeune fille.

— Arrêtez.

Elle aurait voulu ne plus entendre sa voix, mais c'était impossible.

— Si je regarde en arrière, c'est en partie à cause de vous que j'ai tout quitté. Ce soir-là, je n'ai pas pu m'empêcher de vous embrasser, tout en sachant que vous aviez peur. Maintenant aussi vous avez peur.

Ses mains enserrèrent la peau tendre de ses bras.

— Vous tremblez.

Elle ferma les yeux pour réprimer le frisson qui la parcourait à son contact.

— De dégoût, murmura-t-elle farouchement, éprouvant le besoin d'expliquer la raison de son émoi.

— Au moins reconnaissez-moi le mérite d'être parti. Si j'étais resté, je n'aurais probablement pas résisté à la tentation d'échanges intimes même avec la femme de mon propre frère. Maintenant...

Jed fit glisser ses mains le long des bras d'Elizabeth et ses doigts se refermèrent sur les poignets fins de la jeune femme. Il lui croisa les bras et il appuya sa poitrine contre les épaules et le dos d'Elizabeth.

— Maintenant, je peux vous tenir ainsi, enfouir mon visage dans la soie de vos cheveux noirs.

Il joignit le geste à la parole, et Elizabeth, en état de choc, eut le souffle coupé.

— Lâchez-moi !

Elle essaya de dégager sa nuque de l'étreinte qui enfiévrait ses sens.

On devinait un rire réprimé dans le souffle chaud qui caressait sa joue et sa gorge. Elizabeth découvrait que Jed s'amusait de ses tentatives de résistance, il savait sa force supérieure. Il briserait tout effort qu'elle ferait pour se libérer.

— Elizabeth !

La voix stupéfaite et réprobatrice venait de la porte qui ouvrait sur le hall. Les joues de la jeune femme s'embrasèrent tandis que Jed la relâchait lentement. Elle se retourna pour faire face à sa belle-mère.

— Rebecca... commença Elizabeth, luttant pour retrouver son sang-froid et voulant se débarrasser d'un absurde sentiment de culpabilité imaginaire.

Mais elle n'eut pas le temps matériel de révéler l'identité de Jed, qui n'avait pas bougé et continuait à tourner le dos à sa mère.

Rebecca Carrel lui coupa la parole avec une indignation hautaine.

— A quoi pensez-vous, Elizabeth ? Comment pouvez-vous vous conduire ainsi ? Que se serait-il passé si Amy était arrivée en courant et vous avait vue dans les bras de cet inconnu ? Qui est-ce...

— Bonjour, Mère.

Jed se retourna et interrompit sa mère avant qu'elle ait terminé de vider son sac.

La bouche de Rebecca se referma d'un coup sec. Elle prit une expression sévère, et arqua ses sourcils finement soulignés au crayon d'un mouvement qui ne traduisait pas une joie débordante pour le retour de son fils.

— Jed, ton frère et ton père reposent dans leur tombe depuis longtemps, pourquoi t'es-tu donné la peine de revenir maintenant ? demanda-t-elle d'un ton sec.

Il rétrécit ses lèvres en un sourire froid.

— J'ai dû être attiré par la puissance irrésistible de votre amour maternel, répondit-il cyniquement.

Il s'approcha d'elle avec une aisance nonchalante et l'embrassa d'un air moqueur sur la joue.

— Combien de temps as-tu l'intention de rester ? ou ne fais-tu que passer ?

Rebecca continuait à contrôler strictement l'expression de son visage.

— Je n'ai fait aucun plan, dit Jed en haussant les épaules, affrontant franchement son regard sombre.

— Je veux bien le croire... admit Rebecca d'un ton de vif reproche. Ton père et moi avons tout fait pour te préparer à jouer un rôle honorable dans la vie, et tu as rejeté même tes chances de poursuivre des études supérieures. Tu refusais de faire des projets, tu prétendais toujours tout savoir et tu refusais de nous écouter. Qu'en as-tu retiré, Jed ? Tu as sillonné le Pacifique de part en part avec quels résultats ?

— Mère, je ne suis pas revenu pour discuter du passé, ni pour décider ce qui était bien ou mal, répliqua-t-il calmement. Je crois que je voulais revenir fortune faite. Quand j'ai reçu votre lettre environ un an après son expédition, apprenant ainsi la mort de Père, j'ai su que j'avais en moi une dose trop élevée de ce même orgueil des Carrel que j'avais condamné. Mère, je suis revenu à la maison pour faire la paix avec vous.

Ils se mesurèrent encore une fois d'un long regard.

— Tu peux prendre la chambre au bout de l'escalier tant que tu seras ici, dit enfin Rebecca. Amy, la fille de Jeremy, occupe ton ancienne chambre.

— Oui, Liza m'a déjà proposé de l'utiliser. J'avais besoin de me faire propre après être venu à pied de la ville.

— Tu es venu à pied ! s'exclama sa mère, avec colère et d'un ton affligé. Quelqu'un t'a-t-il vu ? Pour l'amour du Ciel, pourquoi n'as-tu pas pris un taxi ? que va-t-on penser si on t'a vu marcher le long de la grand-route ?

— Si on m'a vu, on a dû penser tout simplement que je rentrais chez moi, raisonna Jed sèchement.

A cet instant, Amy apparut dans l'embrasure de la porte de la cuisine. Son regard fut immédiatement attiré par l'inconnu. C'était probablement la première fois, se dit Elizabeth, que sa fille voyait un homme dans la maison pendant la journée depuis la disparition de son grand-père.

Tout en s'approchant d'Elizabeth, Amy maintenait ses yeux bruns, pétillants de curiosité, fixés sur Jed. Elle l'examinait silencieusement, sans aucune timidité. Et elle soutint sans sourciller le regard qu'il lui rendit.

— Bonjour, Amy.

L'accueil qu'il lui fit était désinvolte. Sa voix n'exprimait ni chaleur ni joie excessive.

Amy rejeta sa tête en arrière et regarda sa mère.

— Qui est-ce ? demanda-t-elle d'une voix impudente et claire qui frôlait l'insolence.

— C'est ton oncle Jed, Amy. C'était le frère de ton père, lui expliqua patiemment sa mère.

Amy reporta son attention sur Jed.

Elle le salua avec naturel.

— Bonjour ! Connaissiez-vous mon père ?

— Oui, nous avons grandi ensemble, répondit-il calmement, l'examinant en retour avec une égale intensité.

— M'avez-vous connue quand j'étais toute petite ?

— Non. Je me trouvais à l'autre bout du monde quand tu es née.

— Je n'ai pas connu mon père. Vous savez, il est mort avant que je vienne au monde, lui expliqua-t-elle avec une ostensible indifférence.

— J'étais au courant, dit-il en hochant la tête.

— Vous aimiez mon père ?

— Voyons, Amy, quelle question ! dit Elizabeth avec un rire qui sonnait faux. C'était le frère de ton oncle. Bien sûr, il l'aimait.

— Ce n'est pas tout à fait vrai, dit Jed.

29

Il ne tenait pas compte de sa demande implicite de ne pas ternir le souvenir de Jeremy.

— Jed ! l'adjura-t-elle avec colère.

— C'était mon frère, poursuivit Jed, l'ébauche d'un sourire se dessinant au coin de sa bouche. Parce qu'il était mon frère, je l'aimais mais cela ne veut pas dire que je m'entendais avec lui. Entre frères on se bat et on se dispute beaucoup, Amy. Il y avait de nombreux points sur lesquels nous étions en désaccord.

Intéressée, Amy pencha la tête sur le côté.

— A quel sujet vous disputiez-vous ?

— Tu as posé assez de questions, Amy, intervint froidement Rebecca. Tu es censée faire tes gammes. Mme Banks m'a dit que tu n'avais pas bien travaillé aujourd'hui, alors à partir de maintenant tu y passeras quinze minutes de plus chaque jour.

— Maman, non !

Amy protesta d'un geste coléreux, fronçant les sourcils : indignée elle prenait sa mère à témoin, la suppliant, par son attitude, de faire révoquer la sentence.

— Tu ferais mieux d'agir comme le propose ta grand-mère, répondit tranquillement Elizabeth. Si tu travailles mieux la prochaine fois, peut-être pourrons-nous supprimer ce quart d'heure supplémentaire.

— J'avais l'intention de me baigner un peu plus tard dans la piscine, intervint Jed, d'un ton paisible, trop paisible, au goût d'Elizabeth. Peut-être pourras-tu me rejoindre quand tu auras terminé ?

L'expression maussade d'Amy se transforma aussitôt en un sourire, et elle se hâta d'accepter cette invitation.

— Je crois que tu l'as oublié, Jed, dit sa mère sévèrement, mais dans cette maison, il n'y a ni prime ni récompense pour faire son devoir.

Ayant décoché cette dernière flèche, Rebecca Carrel tourna les talons et quitta la cuisine.

— Rien n'a changé, marmonna amèrement Jed entre ses dents.

Elizabeth savait que cette remarque ne lui était pas

destinée, mais visait l'insistance de sa belle-mère à maintenir une stricte discipline. Plusieurs fois, elle était intervenue en faveur d'Amy, mais Rebecca lui avait répondu que c'était pour son bien, et cet argument avait toujours paru valable.

— Liza, pourquoi habitez-vous ici ? demanda Jed au moment où elle commençait à débarrasser la table. Je suis sûr que la mort de Jeremy et celle de mon père ont dû vous laisser très largement de quoi vivre.

— C'est vrai, reconnut-elle, tout en poursuivant son travail. Mais cette maison a été mon foyer. Et — dois-je vous le rappeler ? — je m'appelle Elizabeth, pas Liza.

— Qu'est-il arrivé à la maison que vous aviez avec Jeremy ? N'était-ce pas là votre foyer ? répliqua-t-il.

— Après notre mariage, nous avons toujours vécu ici.

— Oh mon Dieu !

Il éclata d'un rire incrédule.

— Vous avez vraiment vécu ici avec mes parents après votre mariage ? C'est une décision qui a dû beaucoup favoriser votre vie privée et vous donner le temps de vous connaître !... sans compter Mère qui devait sans cesse se mêler d'organiser vos vies ! dit-il, sardonique.

Sa raillerie la piqua au vif. Elle riposta d'un ton coupant pour se justifier.

— C'était un arrangement temporaire ! Nous avions acheté une maison, mais elle avait besoin d'être entièrement meublée, redécorée, et la cuisine réaménagée. Il aurait été stupide d'essayer d'y vivre quand elle était dans un état aussi chaotique.

— Bien entendu, ni vous-même ni Jeremy n'aviez pensé à emménager pour vous y installer progressivement, suggéra Jed d'un ton sec.

— Jeremy ne voyait pas d'utilité à faire traîner les choses. Il avait décidé de tout faire en même temps et j'étais d'accord avec lui, déclara Elizabeth. De plus il travaillait très dur pour votre père. Il était bien naturel qu'il ait envie de rentrer le soir dans une maison en ordre.

— Que faisiez-vous toute la journée ?

— Si cela vous intéresse dit-elle, le menton tremblant de colère, j'étais très occupée à redécorer la maison.

— Sous la direction de Mère, n'est-ce pas ? dit-il d'un ton moqueur.

— J'avais trop peu d'expérience pour assumer cet énorme travail toute seule. J'étais très heureuse d'être aidée par votre mère.

— Ainsi la maison ne fut jamais achevée ?

— Si.

Elle se tourna vers l'évier et répondit d'une voix entrecoupée par l'émotion :

— Nous étions sur le point d'emménager, mais Jeremy trouva la mort dans cet accident de voiture, et je n'ai tout simplement pas pu me résoudre à vivre dans la maison que nous devions partager.

— Alors vous êtes restée ici, dit-il d'un ton légèrement accusateur.

— Après avoir découvert que j'attendais Amy, je ne pouvais aller ailleurs. Ma tante était à l'hôpital en proie à une grave crise de diabète.

— Et Mère vous proposa son aide à nouveau, n'est-il pas vrai ? dit Jed d'un ton moqueur. Quand Amy est née, vous étiez encore trop jeune et sans expérience, vous n'entendiez rien au soin des enfants, et vous avez donc encore une fois accepté ses conseils. Vous auriez pu trouver un meilleur professeur, chercher et tâtonner par vous-même pour en arriver au même résultat. Beaucoup de femmes le font, sans même bénéficier de la sécurité financière que vous aviez.

— Vous êtes si fort et si superbement sûr de vous !... Vous savez exactement ce qu'il faut faire, riposta Elizabeth. Vous ne vous êtes probablement jamais senti perdu et angoissé, je doute que vous ayez jamais eu besoin de quelqu'un.

— Croyez-moi, j'en ai besoin !

Sa voix vibrante prit des intonations rauques.

— Si ce n'était pas le cas, je ne serais pas revenu ; mais on m'a singulièrement accueilli !

— Ne m'en veuillez pas, c'est vous qui étiez parti ! Et trois lettres en neuf ans ! On ne peut pas dire que vous aviez le mal du pays !

— Voulez-vous savoir combien de lettres j'ai reçu de mes parents ? Exactement deux ! L'une m'apprenait la mort de Jerry et l'autre celle de mon père ! Mes efforts pour maintenir le contact n'ont pas été encouragés. J'avais l'impression de me cogner la tête contre un mur épais de deux mètres.

— Alors pourquoi revenir ? lança-t-elle, irritée d'être prise pour victime de ses frustrations.

— Je me pose la question depuis mon arrivée. J'aurais dû le comprendre, l'ère des miracles est révolue. J'avais pensé que si je revenais avec le désir de faire la paix, ma mère ferait la moitié du chemin et m'accepterait comme je suis.

Le sourire qui se dessinait sur ses lèvres semblait se moquer de lui-même.

— La seule chose qu'elle consente à reconnaître c'est le succès.

— Voilà une accusation bien cruelle ! rétorqua vivement Elizabeth.

— J'aime profondément ma mère mais je ne suis pas aveugle à ses défauts.

— Qu'y-a-t-il de mal à être ambitieux ou à vouloir s'améliorer ? demanda Elizabeth.

— Vous avez grimpé jusqu'au sommet de notre petite échelle sociale : que pensez-vous de la vue ? Répond-elle à votre attente ? Vous sentez-vous satisfaite et récompensée de votre peine comme vous l'espériez ?

Elle n'était pas exactement satisfaite, mais elle garda cette réflexion pour elle.

— Toutes ces activités m'occupent beaucoup, affirma-t-elle. J'aime me consacrer aux œuvres de bienfaisance. J'éprouve une grande joie à venir en aide aux personnes méritantes.

— ... méritantes ? Selon quels critères ? Ceux de ma mère ?

Il accompagna ces mots d'un rire bref et railleur.

— Je vous crois devenu plus dur et plus cynique qu'elle, observa Elizabeth.

— Et vous-même ? Allez-vous finir par lui ressembler ? Croyez-vous que vous ne désirerez jamais la présence d'un homme et la chaleur de son amour ?

— Je n'y ai pas songé.

Elle se tenait sur ses gardes et n'aimait pas le tour qu'il donnait à la conversation.

— Ne manquez-vous pas d'un homme pour vous serrer dans ses bras ? insista Jed, poursuivant son offensive.

Elizabeth releva le menton d'un air de défi.

— J'en doute. Jeremy est mort si tôt après notre mariage que je ne me suis jamais habituée aux attentions masculines. Je crois très bien pouvoir m'en passer.

— Vraiment ? dit Jed d'un ton légèrement provocant.

Dès qu'il commença à avancer vers elle, Elizabeth recula. Son assurance fut chassée d'un coup par la crainte de le voir mettre ses paroles à l'épreuve.

Il s'arrêta et se mit à rire doucement.

— J'allais seulement me chercher une autre tasse de café, expliqua-t-il sans dissimuler son amusement. Pensiez-vous que, mettant en doute votre affirmation, j'allais exiger une preuve matérielle ?

Un éclair de méfiance illumina le regard d'Elizabeth.

— Pourtant, tout à l'heure... commença-t-elle à lui rappeler.

Le visage de Jed prit une expression inflexible et dure.

— Ce qui s'est passé tout à l'heure était une impulsion fugitive. J'ai peut-être dit que je vous trouvais désirable, Liza, mais je ne vous veux pas. La différence

34

est considérable. Vous n'avez pas à craindre d'avances inopportunes. Je ne vous toucherai plus.

Jed s'était exprimé d'un accent catégorique. Elizabeth ne put que le croire. Elle aurait dû s'en réjouir, mais au contraire elle se sentit gagnée par une étrange mélancolie.

— N'êtes-vous pas soulagée, petite sœur?

— Naturellement.

Elle se détourna, passa nerveusement sa main dans ses boucles d'ébène et les repoussa derrière son oreille cherchant à reprendre contenance.

— C'est profondément vrai, reprit-elle.

— Je voulais vous l'entendre dire, murmura-t-il.

Elle évita de le regarder en face et sortit de la cuisine, heureuse d'avoir des pièces de théâtre à étudier, ce qui lui donnait une excuse pour être un peu seule.

3

— Elizabeth, mettez le rôti en tête de table, ordonna Rebecca. Puisque Jed est ici, il peut le découper.

Comme elle commençait à déplacer le grand plat de viande, Jed apparut à la porte de la salle à manger. Il portait toujours la même chemise blanche et le même pantalon de sport marron.

— Je suis honoré, Mère, que vous m'ayez donné la place d'honneur, remarqua-t-il d'un ton léger de dérision.

Visiblement il avait surpris leur conversation depuis le hall.

— Chez les Carrel, c'est toujours l'homme le plus âgé qui préside, répondit Rebecca d'un ton cassant.

D'un regard noir, elle inspecta sa tenue négligée.

— Va donc te changer, nous pouvons attendre quelques minutes, tu as sûrement oublié que nous nous habillons toujours pour le dîner.

— Je n'avais pas oublié.

Jed continua à s'avancer dans la pièce, jusqu'à l'endroit où se trouvait Elizabeth, et tira à lui la chaise qui lui était destinée.

— Malheureusement je n'ai pas réussi à faire rentrer mon smoking dans mon sac de toile.

— N'exagère pas, répliqua vertement sa mère. Un simple costume suffit.

— Je n'avais pas non plus la place. Il faudra m'accepter comme je suis, déclara Jed.

Il prit la fourchette et le couteau à découper posés près du plat. Rebecca montra son mécontentement en pinçant les lèvres, mais ne répondit rien. D'un geste impérieux de la main elle fit asseoir Elizabeth et Amy, et prit place à l'autre bout de la table en face de son fils.

— Ce repas a l'air délicieux, observa Jed. Qui fait la cuisine maintenant ? Vous, Mère ?

— Elizabeth s'en occupe la plupart du temps, mais parfois je lui tends une main secourable.

Seule la jeune femme savait à quel point cette assistance était rare. D'ailleurs elle n'y voyait pas d'inconvénient. Elle préférait avoir toute la cuisine à elle.

— Une Carrel qui fait la cuisine ?

Le regard ironique de ses yeux fauves glissa sur Elizabeth et joua sur son visage. Rapidement elle détourna ses yeux verts.

— Comment avez-vous appris cet art, Liza ?

Elle était sur la défensive et ne savait pas si elle devait en rendre responsable son persiflage, ou cette détestable habitude qu'il avait d'abréger son nom. Peut-être était-ce simplement une incapacité de se sentir à l'aise en sa présence...

— En fait, j'ai appris dès l'enfance, répondit-elle d'un ton raide.

— Et vous faites aussi le ménage, Elizabeth ?

La légère emphase avec laquelle il prononça son nom véritable le rendit plus difficile encore à tolérer que son diminutif.

— Une jeune fille vient deux ou trois fois par semaine s'occuper du nettoyage et de la lessive, expliqua Rebecca.

— Les Reisner possèdent-ils toujours la ferme en bas de la route ? demanda Jed.

— Oui, tu es allé en classe avec Kurt, n'est-ce pas ? Il

a pris la suite de son père, et ses parents habitent en ville. Pourquoi ?

— Je pensais aller les voir ce soir, si toutefois vous me laissez la voiture.

Il inclina sa tête brune vers sa mère d'un geste faussement courtois.

— Il y a un jeu de clés dans le placard où on range la vaisselle, répondit-elle.

Elizabeth dut se retenir de pousser un soupir de soulagement. Elle redoudait de participer à une soirée où la conversation serait nécessairement guindée. Malgré la politesse apparente, l'ambiance entre mère et fils était franchement hostile. Pour sa part elle souhaitait voir Jed le moins possible. Il avait fouillé trop profondément dans sa vie privée, il avait posé des questions qui ne le regardaient en rien et s'était moqué de ses réponses.

Dès que le dîner fut terminé, Jed s'excusa et partit rendre visite à ses voisins. Il n'était pas rentré quand Elizabeth alla se coucher, peu après dix heures. Elle resta éveillée presque une heure dans son grand lit, mais ne l'entendit pas revenir.

Le lendemain matin, Elizabeth, en entrant dans la cuisine, trouva le café déjà fait. La vaisselle qui avait servi au petit déjeuner d'une personne avait été lavée et séchait dans l'égouttoir à côté de l'évier.

Rebecca ne se levait jamais si tôt, le matin. Il ne pouvait s'agir que de Jed. Soudain, elle découvrit le mot qu'il avait laissé sous la coupe de fruits reposant sur la petite table.

Une seconde, elle se berça du fervent espoir qu'il avait décidé de partir aussi brusquement qu'il était venu. D'une écriture ferme, il l'informait qu'il ne rentrerait pas pour déjeuner, mais ne précisait pas où il serait dans l'intervalle.

S'il était parti voir des amis, le seul endroit logique où il avait pu aller à cette heure matinale était encore la ferme des Reisner, déduisit Elisabeth. Bien qu'ils fussent voisins, elle ne connaissait pas très bien Kurt. Il avait été marié puis avait divorcé ; elle l'avait appris par sa sœur Freda qui était plus jeune qu'elle d'un an ou deux. Elle aimait bien Freda et l'aurait volontiers fréquentée plus souvent, mais elle avait senti que Rebecca n'approuverait pas cette amitié. Elle pouvait imaginer le mépris de Jed s'il l'apprenait…

Si seulement il n'était pas revenu ! souhaita-t-elle avec force. La vie était si tranquille ! Maintenant elle voyait se dresser devant elle toutes sortes de pièges. Il avait une influence perturbatrice à laquelle elle devait apprendre à se soustraire.

— Bonjour, Elisabeth.

Rebecca entra dans la cuisine. Elle avait un air de jeunesse et de fraîcheur dans sa robe de chambre en satin rose. Ses cheveux argentés aux reflets bleus étaient soigneusement coiffés. Un léger maquillage ajoutait de la couleur à son visage.

— Y a-t-il du pamplemousse frais ce matin ?

— Oui. Je vais vous le préparer.

Elizabeth poussa son toast à moitié grignoté et se dirigea vers le réfrigérateur.

— Je vois que Jed n'est pas encore levé. Il va dormir jusqu'à midi, je suppose, dit Rebecca d'un ton qui condamnait clairement une telle paresse.

— En réalité, il s'est levé et il est même parti.

— Comment le savez-vous ?

— Il a laissé un mot disant qu'il ne serait pas de retour pour le déjeuner, répondit Elizabeth.

— Bien, déclara Rebecca avec un large sourire. Vous allez en ville ce matin, n'est-ce pas ?

— Oui, j'ai une réunion de comité : nous devons faire le point sur la vente des billets pour le dîner de bienfaisance au country-club, répondit Elizabeth tout en posant le demi-pamplemousse devant sa belle-mère.

Rebecca glissa sa main aux ongles soigneusement faits dans la poche de sa robe de chambre. On entendit un léger bruissement et elle tendit un morceau de papier à Elizabeth.

— Quand vous irez en ville, je voudrais que vous alliez faire un saut au magasin Shaw de vêtements pour hommes. J'ai fait une liste de tout ce dont Jed a besoin. Les tailles sont inscrites dans la colonne de droite, déclara Rebecca. Je suis sûre que Fred rouvrira notre compte.

Elizabeth regarda distraitement la liste.

— Mais comment pouvez-vous être sûre que ce soient les bonnes dimensions ?... ne serait-il pas préférable de demander à Jed d'y aller lui-même quand il reviendra cet après-midi ? dit-elle en bafouillant légèrement.

— Jed refuserait, uniquement pour montrer son entêtement. En ce qui concerne la taille j'ai déjà vérifié.

— Voulez-vous dire que vous êtes allée voir dans ses affaires ?

— Il n'a même pas de veste de sport.

Rebecca secoua la tête d'un air hautain et incrédule.

— Je ne l'avais pas cru hier soir. D'après la façon dont il a été élevé, j'étais certaine qu'on trouverait une tenue décente enfouie dans un coin de ce sac minable. J'en ai examiné le contenu hier soir pendant qu'il était chez les Reisner... Il n'a pas l'intention de les voir trop souvent, j'espère.

Pour la première fois, autant qu'elle pût s'en souvenir, Elizabeth était offensée par l'accent légèrement snob dans la voix de Rebecca.

— Ce sont des gens charmants, affirma-t-elle.

Rebecca ouvrit la bouche pour répondre, mais elle rencontra les yeux verts d'Elizabeth, brillants de défi, et parut changer d'avis.

— Je le suppose, concéda-t-elle, en faisant voir son peu d'intérêt pour le problème.

Elizabeth éprouva une envie dévorante de rendre le papier à sa belle-mère et de lui dire de faire elle-même son vilain travail, mais elle se retint. La tension qui régnait depuis le retour de Jed commençait à affecter sa propre optique.

Il était presque midi quand elle s'arrêta devant la vitrine du magasin. A part quelques cadeaux de Noël pour son beau-père, elle n'avait jamais acheté de vêtements pour hommes. Pendant son bref mariage, Jeremy avait toujours préféré choisir lui-même les siens. Nerveuse, elle passa ses doigts le long du col festonné de sa robe d'été blanche. Redressant résolument les épaules elle s'avança vers la porte. Le carillon retentit à son entrée.

Fred Shaw, le propriétaire, dont le crâne commençait à se dégarnir, se détourna du client dont il s'occupait pour la regarder et, immédiatement, fit signe à son autre employé de le remplacer. Il s'excusa et s'avança à la rencontre d'Elizabeth.

Elle se rappela en un éclair qu'il en était généralement ainsi. C'étaient toujours les propriétaires ou les directeurs des différents magasins de Carrelville qui s'occupaient d'elle, allant même jusqu'à faire attendre d'autres clients. Cette coutume lui parut soudain très injuste.

Il lui souhaita la bienvenue.

— Si vous êtes occupé, monsieur Shaw, cela ne me dérange pas d'attendre quelques minutes.

— Pas du tout, assura-t-il rapidement. Je crois avoir deviné le motif de votre visite. Je disais justement à ma femme hier soir que nous n'avions pas encore eu le temps d'acheter des billets pour votre dîner. Elle a proposé d'en prendre deux de plus, pour notre fille et notre gendre.

— C'est très généreux de votre part, mais en vérité, je suis venue faire quelques achats. Naturellement je vous vendrai des billets avec joie.

Elizabeth sentit qu'il était curieux de savoir pour qui elle achetait des vêtements, mais il n'en montra rien avant qu'ils aient échangé argent et billets.

— Et maintenant, que puis-je vous montrer? demanda-t-il.

Elisabeth sortit la liste de son sac et la lui remit.

— C'est une garde-robe presque complète.

Il l'observa par-dessus ses lunettes.

— Ainsi c'est vrai? Le jeune Jed est revenu?

— Oui, c'est exact, admit-elle avec raideur.

Il la conduisit à une rangée de costumes élégants et coûteux.

— Craig Landers a dit qu'il avait cru le reconnaître hier à l'aéroport. Il est bien venu en avion, n'est-ce pas?

Comme Elizabeth ne l'avait pas demandé, elle pouvait seulement présumer qu'il en était ainsi.

— Je le crois.

— Voilà un beau costume, suggéra-t-il, l'enlevant de la tringle pour le lui faire admirer. Craig a remarqué que Jed n'avait pas l'air dans son assiette. A-t-il été malade?

— Il n'en a pas parlé.

Elizabeth devinait que c'était une allusion à l'aspect négligé de son beau-frère.

— Où est-il allé? Un jour, j'ai entendu dire qu'il vivait sur une île du Pacifique.

Elle froissa entre ses doigts le tissu d'un complet brun foncé.

— Il a beaucoup voyagé, répondit-elle, se souvenant que les trois lettres avaient été postées de différents endroits.

— Qu'a-t-il fait tout ce temps-là?

Encore une question qu'Elizabeth n'avait pas posée.

— Un peu de tout, répondit-elle vaguement.

— Jed n'a jamais semblé du genre à se fixer sur un métier, en fait jamais du genre à se fixer du tout.

Fred Shaw rit comme s'il venait de faire une bonne plaisanterie.

— Vous ne l'aviez probablement jamais rencontré. Il devait être déjà parti quand vous vous êtes fiancée à Jeremy.

— Il a quitté le pays peu de temps après l'annonce de

notre mariage, corrigea Elizabeth, qui s'efforça de le faire changer de sujet en l'interrogeant sur le tissu de l'un des costumes.

Après avoir répondu à sa question, Fred Shaw se remit à parler de Jed.

— Oui, maintenant je m'en souviens. Jeremy et vous étiez fiancés avant son départ. Nous pensions tous qu'il reviendrait pour le mariage. Naturellement il n'était pas de ceux qui se conforment aux usages. Non, on ne pouvait pas compter sur lui comme sur son frère. Ah ! Jeremy ! Voilà un fils que tous les parents auraient été fiers d'avoir. C'était un brave garçon, digne de confiance et qui travaillait dur.

— Jeremy était un merveilleux mari, murmura-t-elle. Sa mort fut une vérirable tragédie.

Il secoua la tête et soupira.

— On a toujours énormément de mal à comprendre pourquoi des êtres comme lui nous sont enlevés. Il aurait pu faire tant de bien à la communauté. Jed a toujours été un casse-cou irresponsable qui n'en faisait qu'à sa tête. Je me rappelle lorsqu'il avait à peine douze ans, il disparaissait pendant des jours entiers, pour revenir en prétendant être parti en auto-stop jusqu'à Dayton visiter le musée de l'Armée de l'Air. Dieu seul sait où il allait vraiment. Voilà un garçon qui a causé bien du chagrin à ses parents. Ils n'ont épargné aucun effort pour qu'il ait les mêmes atouts que Jeremy. M. Carrel a refusé d'abandonner l'espoir de lui faire poursuivre des études à l'université. Chaque fois que Jed était renvoyé, on trouvait un autre établissement qui acceptait de le prendre, et on payait ce qu'il fallait. C'était une honte, une véritable honte.

— Cela s'est passé il y a très longtemps, monsieur Shaw, dit Elizabeth d'un ton froid.

— Oui, il y a longtemps, concéda Fred Shaw. Après avoir perdu Jeremy et Franklin, votre belle-mère se sent probablement très soulagée d'avoir à nouveau un homme dans la maison.

Elizabeth hocha sèchement la tête. Elle commença à choisir des vêtements de sport et d'autres plus habillés. Elle le savait parfaitement, à la minute où elle quitterait le magasin, la ville entière serait au courant du retour de Jed. La rafale de questions insidieuses à laquelle elle venait d'être soumise l'amenait à penser que Rebecca l'avait envoyée en ville pour éviter d'avoir à subir elle-même le premier choc.

Inconsciemment, elle opta pour un style de vêtement qui mettrait en valeur la silhouette si mince et si virile de Jed et ne tenterait pas de la dissimuler sous une coupe trop traditionnelle ou trop raffinée.

Elle poussa un soupir de soulagement quand il ne manqua plus rien, et que les vêtements eurent été pliés dans des cartons. Elle signa le décompte d'un geste ample, impatiente de partir avant que la curiosité de Fred Shaw ne se manifeste à nouveau.

Sa voiture était garée non loin de là, à un carrefour. Elizabeth avançait rapidement, précédant le vendeur à qui avait été confiée la tâche de porter les paquets encombrants jusqu'à son véhicule. Ouvrant la portière arrière côté volant, elle recula pour le laisser passer.

— Elizabeth !

Une voix d'homme prononça son nom d'un ton surpris et chaleureux. Se retournant, elle vit Allan Marsden debout sur le trottoir devant la voiture, qui lui adressait un large sourire. Il administrait l'hôpital du district depuis un an et demi.

— Je n'avais pas prévu que vous seriez en ville à l'heure du déjeuner, sinon je vous aurais invitée à vous joindre à moi.

Ses cheveux couleur de sable brun aux reflets de bronze furent éclairés par le soleil au moment où il inclinait la tête vers Elizabeth avec du regret dans les yeux.

— J'avais une réunion de comité et quelques courses à faire, je disposais donc de peu de temps, assura-t-elle.

— Tout est là, intervint poliment le jeune employé en

fermant la portière arrière de la voiture. Monsieur Shaw m'a recommandé de vous rappeler que si les vêtements n'allaient pas, vous deviez les rapporter.

Allan Marsden suivit des yeux l'employé qui réintégrait le magasin Shaw d'habillement pour hommes. Il prit un air perplexe. Son regard se posa à nouveau avec curiosité sur Elizabeth.

Le premier mouvement de la jeune femme fut de ne lui donner aucune explication. Pourtant elle aimait bien Allan. Elle avait accepté de sortir trois fois avec lui. Le dernier rendez-vous avait eu lieu une quinzaine de jours auparavant. Il avait été un compagnon agréable et peu exigeant. Mais ce qu'elle avait dit à Jed était vrai : elle n'avait pas besoin d'un homme constamment à ses côtés. Avec tous ces paquets portant la griffe de Shaw à l'arrière de la voiture, il serait injuste de le laisser dans l'ignorance. De toute façon, d'ici une heure toute la ville serait au courant du retour de Jed.

— Je viens d'accomplir une de mes tâches les plus redoutables. (Elizabeth sourit, désignant les cartons d'un geste de la main.) Mon beau-frère est rentré après une absence prolongée. Sa malle n'est pas encore arrivée. On m'a chargée de lui acheter quelques vêtements.

— Votre beau-frère ?

Surpris, il fronça les sourcils.

— J'ai toujours pensé que votre mari était fils unique.

— Il avait un frère plus jeune, mais Jed était à l'étranger depuis plusieurs années.

— Alors Mme Carrel et vous devez être heureuses de le retrouver, dit-il en souriant.

— Oui, répondit-elle, sachant qu'il était impossible de parler du climat d'hostilité qui gâtait sa vie.

— J'avais l'intention de vous appeler ce soir.

Allan descendit du trottoir et se rapprocha d'elle.

— J'ai acheté deux billets pour votre dîner de bienfaisance, et j'espérais que vous m'accorderiez le privilège de vous y accompagner.

Elizabeth n'avait aucune raison valable de ne pas accepter, mais elle s'entendit refuser.

— Je suis désolée, Allan, mais je dois y être de bonne heure pour veiller à la bonne organisation de la soirée. Comme je suis une des directrices du comité, j'aurai d'autres obligations à remplir pendant toute la soirée. Peut-être serait-il préférable de nous retrouver là-bas ? proposa-t-elle.

Elle sentit que cette solution de rechange ne lui convenait guère, mais il ne dit rien et ne laissa paraître aucune déception. S'il s'intéressait à elle — et elle en était pratiquement sûre — il ne semblait avoir aucune intention de précipiter les choses. Peut-être ne voulait-il pas prendre le risque d'offenser une Carrel et de voir sa situation compromise par l'influence de la famille dans la région ?

— La météo promet un temps superbe pour dimanche. Si nous partions en pique-nique, par exemple vers deux heures, avec Amy ? suggéra Allan.

Elizabeth hésita quelques secondes, mais elle ne voulut pas refuser une deuxième invitation, bien qu'elle eût aussi peu envie de l'accepter.

— Voudriez-vous m'appeler ce soir, Allan, lui dit-elle, se dérobant. Je ne sais pas exactement quels sont les projets de Rebecca, ma belle-mère, avec le retour de Jed et tout ce qui s'ensuit.

— Bien sûr j'appellerai et je garde bon espoir.

— J'attendrai votre coup de fil, promit Elizabeth.

La maison des Carrel se trouvait à plus de trois kilomètres de la ville. Elle avait été construite de longues années auparavant par un de leurs ancêtres, qui avait mené de front deux carrières : juge et propriétaire-exploitant. Plus tard ce léger isolement du reste de la communauté contribua à donner l'impression qu'ils étaient différents des autres, comme les seigneurs féodaux de l'ancien temps.

S'efforçant de préserver le précaire équilibre des paquets qui s'entassaient dans ses bras, Elizabeth ouvrit la porte d'entrée et pénétra dans la maison. Du coin de l'œil elle entrevit sa belle-mère qui parlait au téléphone dans le salon. Elle avait un crayon à la main, et un bloc à côté d'elle sur la table.

Rebecca leva rapidement les yeux, et d'un geste de coquetterie fit disparaître les lunettes de son nez.

— Avez-vous pu acheter tout ce qui figurait sur la liste ? demanda-t-elle.

Et comme Elizabeth acquiesçait de la tête :

— Vous feriez mieux de monter les pendre avant qu'ils ne se froissent et n'aient besoin d'un coup de fer, conseilla Rebecca.

Il n'était pas facile de gravir les marches avec des paquets qui l'empêchaient de voir où elle mettait les pieds, mais Elizabeth réussit à monter jusqu'en haut sans incident. Arrivée au bout du couloir, elle trouva la porte de la chambre de Jed entrebâillée et l'ouvrit complètement. Elle s'arrêta sur le seuil, hésitant à entrer.

La pièce avait toujours eu un air impersonnel qui en faisait une chambre à coucher semblable à toutes les autres, mais à présent on sentait une étrange différence. Regardant autour d'elle, le seul objet qu'elle vit appartenant à Jed était le sac de toile posé dans un coin. Le lit était savamment recouvert sans un seul pli. Pensant aux assiettes qui séchaient dans l'évier, Elizabeth était certaine que c'était Jed qui l'avait fait et non pas Rebecca.

Entrant dans la pièce, elle étala les paquets sur le lit. La curiosité dirigea ses pas vers la salle de bains adjacente. Elle trouva là la preuve évidente de la présence de Jed : rasoir, brosse à dents, peigne et lotion après-rasage posés sur l'étagère près du lavabo.

L'arôme léger de l'eau de Cologne effleura ses narines. C'était cette senteur légèrement masculine, pensa Elizabeth, qu'elle avait remarquée en entrant dans la chambre.

Un sentiment de culpabilité la fit tressaillir : elle comprit qu'elle commettait une grave indiscrétion et revint rapidement sur ses pas. Le tremblement de ses doigts l'étonna, tandis qu'elle commençait à défaire les paquets et à dégager les vêtements du papier de soie qui les protégeait. Elle sentit son estomac se nouer bizarrement et, embarrassée, se sentit rougir. C'était ridicule, se reprocha-t-elle. Il lui était déjà arrivé de ranger des vêtements d'homme. Pourquoi aujourd'hui éprouvait-elle cette gêne ? se demanda-t-elle en pliant un costume sur un cintre. Elizabeth se tourna vers le placard et vit soudain devant elle le visage mince de Jed.

Il s'appuyait au montant de la porte dans une pose nonchalante, presque identique à celle de la veille, les mains enfoncées dans les poches. L'expression de son visage finement ciselé était indéchiffrable, mais une légère lueur d'amusement brillait dans les yeux bruns aux reflets de topaze qui l'observaient intensément.

Les doigts d'Elizabeth se refermèrent nerveusement sur la manche d'un veston tandis que Jed promenait son regard d'Elizabeth aux paquets entassés sur le lit.

Simulant un sang-froid qu'elle n'éprouvait pas, elle se détourna pour s'avancer vers le placard, essayant d'avoir l'air naturel.

— Votre mère a pensé que vous aviez besoin de compléter votre garde-robe, dit-elle d'un ton détaché.

4

— Elle l'a sûrement découvert quand elle a fouillé hier soir dans mes affaires... Liza, vous avez énormément de goût. Je devrais toujours vous demander de choisir mes vêtements.

— Comment avez-vous su...

La surprise la fit pivoter sur ses talons.

— ... que c'était vous ? termina Jed à sa place, ne cachant pas son amusement. Je ne pouvais imaginer que Mère affronte elle-même les ragots de la ville si elle pouvait vous envoyer à sa place.

— J'ai rouvert notre ancien compte chez Shaw, lui dit-elle. Si j'ai oublié quelque chose, vous pouvez y aller.

— J'en suis persuadé, la liste établie par Mère a été aussi complète que ses perquisitions, répondit Jed sèchement.

— Pourquoi êtes-vous si sûr que je n'en suis pas l'auteur ? demanda Elizabeth, mûe par un soudain désir de défendre Rebecca.

— Il doit y avoir quelque chose en vous qui m'empêche de vous imaginer en train de fouiller dans les affaires personnelles d'un homme, répondit-il.

Elle se pencha sur la veste posée sur le lit et fit mine d'en lisser le revers, pour dissimuler le rouge qui lui était monté aux joues.

— Vous avez déjà déjeuné, n'est-ce pas, demanda-t-elle, s'efforçant de détourner la conversation.

— Oui. Chez les Reisner.

Elizabeth, constamment en mouvement, les mains occupées à ranger les vêtements, allait et venait du lit au placard pour éviter d'avoir à rencontrer le regard de Jed.

— Il semble que Freda, la sœur de Kurt, vous trouve sympathique. Vous habitez si près : il est curieux que vous ne vous voyiez pas plus souvent. Freda m'a dit que la plupart du temps, elle tombe sur vous en ville par hasard.

— Eh bien, vous savez ce que c'est...

Elle sourit en haussant les épaules.

— J'ai toujours des réunions pour une raison ou pour une autre. Le temps libre qui me reste, je le consacre à Amy.

— C'est tout à votre honneur, mais je suis certain que Freda serait ravie si vous ameniez Amy. Elle a l'air d'aimer les enfants. En fait, continua-t-il avec un sourire satisfait, j'ai été convié à y déjeuner dimanche, et Freda m'a chargé de vous dire que vous étiez invitée aussi avec Amy.

— C'est impossible, refusa immédiatement Elizabeth.

— Pourquoi ?

Malgré sa douceur apparente, il y avait une pointe acérée dans sa voix.

— Parce que j'ai déjà fait d'autres plans, dit-elle, soudain heureuse de n'avoir pas décliné l'invitation d'Allan. C'était l'excuse idéale pour éviter de se trouver en compagnie de Jed.

— Vraiment ? dit-il ironiquement.

— Oui, vraiment. Dimanche prochain, Amy et moi avons été invitées à un pique-nique.

— Puisque vous n'êtes pas libre, je transmettrai vos excuses à Freda.

Son ton demeurait sceptique et railleur.

— Je ne l'invente pas ! se défendit Elizabeth, courroucée. Je vous répète qu'Allan Marsden nous a demandé de l'accompagner. Je pensais que votre mère pourrait avoir prévu quelque festivité pour votre premier dimanche à la maison, sinon j'aurais immédiatement accepté.

C'était un petit mensonge pieux, mais les circonstances le justifiaient.

— Allan Marsden ? Ce doit être un nouveau venu.

— Il est administrateur de l'hôpital.

— A ce propos, je me demandais justement s'ils avaient jamais trouvé les fonds pour ces nouveaux services qu'ils voulaient créer, dit-il.

— Non.

Elle fut soudain prise de soupçons.

— Pourquoi ? demanda-t-elle.

Jed haussa les épaules d'un air indifférent.

— Simple curiosité, je suppose. Vous avez parlé de l'hôpital et je me demandais s'ils avaient réalisé l'expansion prévue.

Elizabeth ne croyait pas à la simple curiosité.

— Si vous insinuez qu'Allan sort avec moi dans l'espoir de persuader votre mère, par mon intermédiaire, de consentir un don important, vous vous trompez.

— Effectivement, je dois me tromper, convint-il d'un ton suave.

— Allan laisse ce genre de problème à son comité de financement.

— Bien sûr.

Elizabeth pinça les lèvres en signe de révolte.

Le sourire gouailleur qui s'esquissait sur les traits durs de Jed la mettait hors d'elle.

— Je doute qu'Allan fasse même mention de l'hôpital pendant le pique-nique, protesta de nouveau Elizabeth d'un ton défensif.

— S'il le faisait, sa conduite ne serait guère digne d'un homme, déclara-t-il, un sourire suggestif retroussant ses lèvres. Un bel après-midi d'été, une clairière ombragée, une couverture sur le sol, et vous à mes côtés, je ne penserais certainement pas à mon travail.

— Jed Carrel, vous êtes impossible, marmonna Elizabeth.

Dans un geste de colère elle s'approcha du placard et accrocha un cintre sur la tringle.

— Vous déformez tout, vous rendez tout trivial et sordide.

— Vraiment ?

— Vous le savez très bien.

— Alors je ferais mieux de m'excuser.

— Ne vous fatiguez pas à prétendre que vous le regrettez. Maintenant, si vous voulez bien m'excuser, j'ai beaucoup de travail, lança-t-elle d'une voix mordante, sur un ton sarcastique.

— Veuillez accepter mes remerciements pour avoir choisi ma garde-robe, même si c'est Mère qui en a eu l'initiative.

A nouveau, il y avait une note de raillerie dans sa voix.

— Je ne suis pas dupe de votre jeu, Jed, lança la jeune femme par-dessus son épaule avant de quitter la pièce.

Son rire sonore la suivit tout le long du hall.

Le repas du soir se prenait régulièrement à dix-neuf heures. L'heure avait été choisie, non parce que Rebecca trouvait que c'était de bon ton, mais pour une raison bien simple : feu son mari avait toujours travaillé à son bureau au-delà de dix-sept heures. Cette habitude était trop solidement ancrée pour qu'on la change après sa mort.

Allan Marsden appela Elisabeth comme promis, mais le téléphone sonna au moment précis où elle allait servir le dîner. Elle avait pris la communication sur le poste du salon quand Jed entra dans la pièce.

Il portait un costume marron acheté l'après-midi. Elle fut saisie de stupeur en voyant à quel point le vêtement mettait en valeur sa sombre virilité. Il épousait si parfaitement sa silhouette élancée et tout en muscles, qu'il aurait pu être fait sur mesure.

Pendant une seconde entière, Elizabeth ne fut consciente que de sa troublante présence. Contraignant ses sens enflammés à ignorer l'existence de Jed, elle concentra son attention sur la voix au téléphone.

— Dimanche à deux heures me convient parfaitement, Allan, accepta-t-elle en feignant l'enthousiasme. Amy et moi serons prêtes. Etes-vous sûr que je ne peux rien apporter ?

— Je me suis occupé de tout, répondit-il. Je ne m'étais pas permis d'envisager un refus, Elizabeth. Je suis heureux que vous ayez accepté.

— Oui, eh bien...

Elle lança un coup d'œil inquiet à Jed. Il savait parfaitement qu'elle parlait à Allan. Il l'espionnait délibérément.

— Oui, eh bien maintenant, Allan, il faut vraiment que je vous laisse. Nous allions passer à table.

— Naturellement.

Elle raccrochait déjà, les derniers mots d'Allan résonnant encore dans la pièce.

Pendant un instant elle hésita, se demandant si elle allait faire des observations à Jed sur ses mauvaises manières, mais elle s'abstint, sachant parfaitement que ce genre de remarque pourrait seulement provoquer une réponse arrogante et moqueuse.

— Le dîner sera servi dans quelques minutes, déclara-t-elle, en se détournant.

— Ne vous dépêchez pas à cause de moi, répondit Jed calmement.

Serrant les dents, Elizabeth refusa de se laisser entraîner à répondre et quitta rapidement la pièce.

Il n'était peut-être pas pressé, mais ce n'était pas le cas d'Elizabeth. Elle voulait en finir avec le dîner au plus vite. Son instinct lui reprochait de devenir beaucoup trop sensible à sa présence. Elle serait bien sotte de lui permettre de dérégler le cours paisible de sa vie.

Au milieu du repas, elle se rappela qu'elle n'avait pas informé Rebecca de l'invitation d'Allan Marsden. Elle n'aimait pas en parler devant Jed, mais sa belle-mère se rendait à une réunion paroissiale tout de suite après le dîner.

— Rebecca, dit-elle d'un air faussement détaché, j'ai l'intention de sortir avec Amy dimanche prochain dans l'après-midi. Nous avons été invitées.

— Oh !... nous allons à la ferme avec oncle Jed ? interrompit Amy, tout excitée.

— De quelle ferme s'agit-il ? demanda Rebecca.

Son regard sombre fixa immédiatement Elizabeth. L'attention distraite qu'elle avait portée jusque-là à la conversation parut s'éveiller brusquement.

Lançant un regard venimeux à Jed qui avait l'air immunisé contre sa morsure, la jeune femme répliqua avec force :

— Nous n'allons à aucune ferme. Nous avons été conviées à un pique-nique par Allan Marsden.

— Nous n'allons pas à la ferme ? dit Amy fortement déçue.

Si ce n'avait été pour Jed qui donnait nettement l'impression de retirer des événements une sorte de satisfaction amusée, la réaction d'Elizabeth aurait été plus nuancée.

— Amy, je viens de te dire que nous allons pique-niquer avec M. Marsden.

— Quelle est cette histoire absurde à propos d'une ferme ? intervint Rebecca, lançant à son fils un regard significatif.

— J'ai été invité à déjeuner dimanche chez les Reisner.

Avec nonchalance il beurra un petit pain chaud en forme de croissant.

— Kurt a pensé qu'Elizabeth aimerait peut-être se joindre à nous et amener Amy, mais elle avait déjà été invitée par M. Marsden et naturellement elle a dû refuser.

— Je vois, répondit Rebecca d'un ton bref.

— Mais moi, je voulais aller à la ferme, déclara Amy, plaidant sa cause avec un regard de défi.

— Eh bien je regrette, mais nous allons pique-niquer.

Au moment même où elle prononçait ces mots, Elizabeth sentit qu'elle traitait sa fille avec une froideur qui pouvait passer pour un manque de psychologie. Elle aurait dû expliquer calmement que la visite à la ferme pourrait se faire un autre jour, au lieu de formuler sèchement un ordre. C'était la faute de Jed.

— Je ne veux pas aller à votre stupide pique-nique. Je veux aller à la ferme et voir les bêtes ! Je ne veux pas aller avec toi.

— Amy, en voilà assez ! avertit Elizabeth, mettant sa fille en garde avec douceur mais résolution.

— Je ne peux jamais obtenir ce que je veux, dit Amy. Je dois toujours faire ce qu'*elle* désire.

Sa lèvre inférieure s'allongea en une moue plaintive, et elle lança à sa mère un regard chargé de rancune.

— Amy, arrête tes caprices immédiatement, ordonna Elizabeth.

— Je ne veux pas aller à ce pique-nique.

Les yeux bruns de sa fille se remplirent de larmes.

— Je pense que tu ferais mieux de monter dans ta chambre, Amy. Quand tu pourras te tenir convenablement à table, tu auras la permission de redescendre.

— Non. Je n'irai pas dans ma chambre.

L'effort d'Amy pour retenir ses larmes faisait trembler sa voix.

Jed portait sans doute la responsabilité initiale de la querelle, mais Elizabeth constatait qu'elle s'y était très mal prise. Envoyer Amy dans sa chambre avait probablement été une punition excessive, mais en affichant son refus d'obéir, sa fille la forçait à aller jusqu'au bout.

Jetant à Jed un coup d'œil éloquent, Elizabeth se

leva, fit le tour de la table et s'approcha d'Amy. Le menton bas, Amy éloigna sa chaise de la table. Une larme mouilla sa joue ronde. Se tournant pour la suivre, Elizabeth regarda Jed droit dans les yeux.

— Ce n'est pas sa faute, Liza, dit-il.

— J'en suis parfaitement consciente, riposta-t-elle vivement. Vous n'aviez aucun droit de faire même une allusion à l'invitation de la ferme sans me consulter d'abord. Si quelqu'un est coupable, c'est vous !

De ses longues jambes, elle suivit le pas traînant de sa fille. Une fois délivrée de la présence de Jed, elle lui expliquerait pourquoi elles allaient en pique-nique et non pas à la ferme. Elle le ferait avec la patience et la compréhension dont elle aurait toujours dû faire preuve.

— Viens avec moi, Amy, dit Elizabeth calmement.

Elle toucha de sa main l'épaule de sa fille. Aussitôt, la petite se libéra et marcha d'un pas raide vers le hall. Lorsqu'une main agrippa son poignet pour l'arrêter dans sa progression, Elizabeth comprit que Jed l'avait suivie. Elle se retourna et fit face.

Les yeux de Jed soutinrent son expression de stupeur offensée avant de se poser brièvement sur Amy, qui s'était arrêtée près de l'escalier.

— Monte dans ta chambre, Amy, dit Jed fermement mais sans colère ni commandement. Je voudrais avoir une petite discussion avec ta mère.

Amy hésita puis la porte de l'escalier s'ouvrit et se referma. Ensuite on l'entendit gravir lentement les marches.

— Je ne vois pas de sujet qui prête à discussion, dit Elizabeth d'une voix crispée.

— Ce n'est pas mon avis, répondit-il du même ton ferme qu'il avait employé pour Amy.

— Vous avez peut-être raison, admit-elle soudainement. J'aimerais entendre votre explication. Je pense que vous avez été terriblement cruel de parler à Amy de cette invitation et de chercher à vous servir d'elle pour me persuader de changer d'avis.

— D'abord je n'en ai pas parlé à Amy, répondit-il sèchement.

— Vous ne pensez tout de même pas que je vais vous croire ? demanda Elizabeth. Je ne lui avais même pas dit que nous allions pique-niquer dimanche, et encore moins que nous avions refusé de sortir avec vous.

— Ma seule conversation avec votre fille portait sur ma visite de ce matin. Je lui ai dit que j'étais allé à la ferme des Reisner.

— Et que vous y étiez convié dimanche avec nous, ajouta-t-elle.

— Je lui ai dit que j'y allais dimanche, convint-il de mauvaise grâce, mais je n'ai parlé de rien d'autre.

— Alors où a-t-elle pris l'idée que nous pourrions nous rendre à la ferme ? demanda Elizabeth d'un ton froid et incrédule.

— Autant que je me rappelle, dit Jed dont l'irritation grandissait, Amy a demandé si elle pourrait un jour y aller pour voir les petits chiens dont je lui avais parlé. Je lui ai répondu de vous poser la question à vous.

— Voilà qui est vraisemblable, dit-elle méprisante, d'un ton railleur. Pourquoi n'avouez-vous pas que vous essayiez de l'influencer pour me faire changer d'avis ?

— Parce qu'il m'est bien égal que vous alliez ou non chez les Reisner, répliqua Jed vivement. J'ai tout simplement transmis l'invitation de Kurt. Si je voulais vous faire changer d'avis, je m'y prendrais autrement, et sans y mêler une enfant.

— Pourquoi avoir parlé de la ferme à Amy ? protesta Elizabeth, sur le même ton de colère. Etes-vous jaloux de nos rapports chaleureux ? Voulez-vous les rendre aussi amers et malheureux qu'entre votre mère et vous-même ?

— Je me moque éperdument de votre opinion !

Fou de rage, il lâcha brutalement le poignet de la jeune femme.

— Si vous voulez me traîner dans la boue, ne vous gênez pas! La seule opinion qui m'importe, c'est la mienne!

En moins d'une seconde, il s'était éloigné.

Elizabeth le suivit des yeux, bouche bée, paralysée par la colère.

Il disparut dans le vestibule. On entendit la porte d'entrée claquer avec violence.

Autoritaire, la voix de Rebecca Carrel appela Elizabeth de la salle à manger.

— Est-ce Jed qui est sorti comme un ouragan?

— Oui, confirma-t-elle, sa voix tremblante d'indignation.

Comment avait-il osé lui faire cet affront?

— Vous feriez aussi bien de revenir ici et d'achever votre repas, ordonna sa belle-mère.

— Un moment, Rebecca, dit-elle, en faisant un effort pour se dominer. D'abord je veux parler à Amy.

— Je crois qu'il vaudrait mieux la laisser un peu seule. Elle aura ainsi l'occasion de comprendre à quel point sa grossièreté et son impertinence sont inexcusables. Elle doit exprimer des regrets pour son comportement inconvenant à table.

Il y eut une légère pause, puis Rebecca ajouta d'un ton amer:

— Je ne comprends pas pourquoi elle ne tient pas plus de son père...

... au lieu de son oncle Jed, finit en pensée Elizabeth à la place de Rebecca. Oui, la nature aggressivement indépendante d'Amy était plus typique de Jed que de Jeremy. Qu'il fût normal et conforme à l'attente générale d'agir d'une certaine manière, n'était jamais pour Amy une raison suffisante.

Respirant profondément, Elizabeth se dirigea vers les marches. Si Amy avait pu penser sérieusement qu'elles iraient à la ferme, Jed avait dû lui en dire beaucoup plus qu'il ne le prétendait. Dès que la petite fille aurait fourni la preuve dont elle avait besoin, elle se proposait de demander des explications à Jed.

Le résultat de sa discussion avec Amy n'apporta pas les éléments auxquels Elizabeth s'était attendue. Elle fut forcée d'admettre que Jed avait dit la vérité. C'était l'imagination d'Amy qui l'avait fait sauter d'elle-même à la conclusion.

De même pour le pique-nique. Le manque d'enthousiasme de sa fille ne s'améliora pas. Mais elle accepta à contre-cœur d'y participer.

L'ennui de la petite fille toute la journée du pique-nique, fut clair et évident.

Elizabeth s'était sentie trop gênée et trop irritée par l'impolitesse d'Amy pour avoir des réflexes naturels. Ses réactions aux efforts d'Allan pour alléger l'atmosphère manquaient d'aisance et sonnaient faux, ajoutant au malaise qui imprégnait chaque seconde de la partie de campagne. Son embarras s'était accru quand Allan avait suggéré qu'ils rentrent, au bout de deux heures à peine.

Pour rendre la situation pire encore, Amy grommela un « merci » peu aimable et sauta de la voiture à la seconde même où Allan l'arrêtait devant leur maison. Elizabeth l'avait suivie des yeux pendant un long moment avant de se tourner vers Allan, dont la bouche légèrement crispée indiquait suffisamment les sentiments.

— Je dois vous faire des excuses pour Amy, murmura-t-elle confuse. D'habitude elle ne boude pas ainsi, et...

Allan sourit d'un air compréhensif, prenant l'une des mains d'Elizabeth et la pressant dans les siennes.

— Les enfants ont tendance à considérer leurs parents comme leur propriété, surtout s'ils n'en ont qu'un.

— Ce n'était pas de la jalousie.

Elizabeth eut un mouvement embarrassé.

— J'étais en colère contre quelqu'un l'autre jour, et je l'ai prise pour victime : elle ne me l'a pas pardonné.

— Je ne peux pas vous imaginer en colère. Vous êtes beaucoup trop belle.

Le compliment galant lui vint aisément aux lèvres. Elle sourit nerveusement et l'écarta d'une boutade.

— Je suis faite de chair et de sang, dit-elle.

— Voilà qui est encourageant.

Se penchant vers elle, Allan déposa un long baiser chaud sur ses lèvres pulpeuses.

— Je vous verrai au dîner du club, sinon avant.

Quand il se redressa, Elizabeth mit la main sur la poignée de la portière, l'ouvrit à demi, et marqua un temps d'arrêt.

— Merci pour tout Allan, dit-elle, reconnaissante de la compréhension dont il avait fait preuve.

— Peut-être une autre fois pourrons-nous tous les trois passer une journée plus agréable.

Elle sortit de la voiture et lui fit un signe de la main pendant qu'il manœuvrait dans l'allée. Puis elle s'avança vers la maison.

Elle ne pouvait permettre que le silence se fît sur le comportement d'Amy, mais elle répugnait à lui faire la leçon. Poussant un long soupir, elle ouvrit la porte d'entrée. Elle releva le menton en voyant sa fille debout devant Jed penché sur elle.

De son regard fauve, il l'aperçut le premier, une expression vigilante sur son visage malgré son large sourire. Puis Amy jeta un bref coup d'œil par-dessus son épaule et le sourire disparut de ses lèvres. Elle bondit vers la porte menant à l'escalier.

Jed se redressa, tandis qu'Elizabeth fermait la porte derrière elle. Elle lui en voulait d'avoir provoqué le rire d'Amy, là où Allan avait échoué après s'être donné tant de mal.

— Je ne vous attendais pas si tôt, observa Jed.

— Vous n'êtes pas le seul : moi non plus, répliqua-t-elle froidement.

— Que s'est-il passé ?

— Amy ne vous l'a pas dit ?

— Non, elle ne m'a rien dit, assura-t-il d'une voix égale.

— Vraiment ? J'avais toutes les raisons de croire que c'était la cause de votre hilarité, dit-elle d'un ton légèrement accusateur.

Elle avait complètement oublié de lui présenter ses excuses pour avoir mis sa parole en doute l'autre soir. Elle n'avait aucune intention de le faire devant Rebecca ou Amy, et elle n'avait pas eu l'occasion de le voir seul.

— A votre place, je ne m'inquiéterais pas. Je doute que votre petit ami soit découragé par le seul fait d'un après-midi peu satisfaisant.

Elizabeth s'apprêtait à dire qu'Allan n'était pas son petit ami, mais elle arrêta net ses dénégations : elles lui attireraient seulement de nouvelles railleries.

— Au fait, dit-elle d'un ton dégagé, je le verrai au dîner de bienfaisance samedi prochain.

— Vous avez refusé qu'il vous y accompagne j'espère, observa-t-il sèchement.

— Si j'avais accepté, en quoi cela vous regarderait-il ? dit-elle d'un ton de défi.

— Cela concernerait Mère, pas moi.

A l'amusement que révélait le pli de ses lèvres, on sentait qu'il en savait plus qu'il ne voulait en dire.

— Rebecca ne me dicte pas ma vie mondaine.

— Voilà un bon sujet de discussion entre vous.

— Pourquoi croyez-vous que j'aurais besoin d'en discuter avec elle ? demanda-t-elle.

Jed lui lança un regard oblique. Pendant un moment fugitif, il eut l'air d'un hardi et jeune aventurier. Son regard brilla d'une malicieuse satisfaction, qui effaçait complètement son cynisme habituel. Plus encore, le regard dur, caractéristique d'un homme qui avait été le témoin de beaucoup de scènes déplaisantes, disparut également.

— Mère a décidé que je devais faire ma première

apparition publique à votre dîner la semaine prochaine, répondit Jed. Elle veut qu'à cet événement mondain la famille Carrel participe, solidaire.

— Et vous y allez ? murmura-t-elle incrédule.

Ses pupilles se rétrécirent légèrement.

— Liza, vous l'avez oublié : je suis revenu pour faire une sorte de paix : elle nécessite des compromis. Oui, en effet, je vais mettre ma tenue de soirée et assister à votre gala.

5

— Elizabeth, Jed vient d'arriver avec la jeune fille qui doit garder Amy. Etes-vous prête ? appela Rebecca.

La jeune femme achevait son maquillage, un bâton de rouge à la main ; elle interrompit son geste et répondit :

— Dans une minute.

— Eh bien dépêchez-vous, s'il vous plaît, répondit impatiemment sa belle-mère. Je ne veux pas arriver la première mais je ne veux pas non plus être la dernière.

Elizabeth soupira tristement et se regarda dans la glace, regrettant d'avoir laissé Rebecca la convaincre d'arriver en famille au dîner. Elle avait cru avoir un excellent prétexte : surveiller les préparatifs de la soirée, mais Rebecca, intransigeante, avait insisté pour qu'Elizabeth, en sa qualité de présidente, confiât cette responsabilité à quelqu'un d'autre.

La doublure en soie de sa robe de dentelle blanche froufrouta tandis qu'elle se dirigeait vers la porte du couloir. Son cœur battait follement, et ses nerfs étaient à vif. Même son premier rendez-vous, elle en était sûre, ne l'avait pas troublée à ce point.

Amy l'attendait au pied de l'escalier. Ses yeux bruns s'agrandirent et sa bouche s'arrondit en un oh ! accompagné d'un soupir flatteur. Un sourire d'authentique plaisir détendit les muscles crispés qui cernaient la bouche d'Elizabeth.

— Comment me trouves-tu ?

Elle tourna lentement sur elle-même au bénéfice de sa fille.

— Oh, tu es magnifique, Maman ! s'exclama Amy, le souffle coupé par l'émotion.

Elizabeth souhaita la bienvenue à la jeune lycéenne qui se tenait dans le hall.

— Bonsoir Cindy.

— Bonsoir madame Carrel. Vous avez une robe ravissante.

La jeune fille regardait avec envie la robe longue en dentelle légèrement moulante. En parlant, elle entrouvrait à peine les lèvres, assez toutefois pour qu'à son reflet métallique on devinât la présence d'un appareil correcteur.

Elizabeth se souvint de ses rêves enchantés d'écolière toutes les fois qu'elle avait vu une grande personne en tenue de soirée. Elle aurait voulu pouvoir se défaire de ses appréhensions et capter un peu de la candeur de Cindy et de son regard semé d'étoiles.

— Elizabeth, Jed attend dans la voiture.

Rebecca apparut sous la voûte du hall d'entrée.

Suivant sa belle-mère jusqu'à la voiture, Elizabeth prit sa place à l'arrière, murmurant un mot de remerciement poli quand Jed lui ouvrit la portière. Elle avait vu que son smoking noir lui allait à ravir. Mais en arrivant au club, elle fit une constatation surprenante : ce n'était pas celui qu'elle lui avait acheté. Les lumières de l'entrée illuminèrent pleinement le vêtement d'une coupe parfaite, tandis que Jed lui ouvrait la portière, une main tendue.

Elizabeth fronça les sourcils, totalement déconcertée. Le tissu de son smoking et la chemise de soie blanche étaient beaucoup plus coûteux que tous ceux de la région.

— Qu'y a-t-il ?

Un coin de sa bouche se releva tandis qu'il tendait les clés de la voiture au chasseur. Il toucha du doigt le revers noir.

— Vous n'aimez pas ?

— Si, répondit-elle rapidement, évitant son regard malicieux qui faisait briller ses yeux couleur d'ambre et de noisette.

Elle feignit d'ajuster son châle.

— Mais... vous n'aviez pas dit avoir fait des achats quand vous êtes allé à Cleveland la semaine dernière.

— Je ne savais pas que j'avais des comptes à rendre, répondit-il, la tenant légèrement par le coude pour lui faire contourner la voiture jusqu'à l'endroit où les attendait Rebecca.

Pinçant les lèvres, Elizabeth ne fit aucun commentaire. Jed s'était absenté la plus grande partie de la semaine. Cette situation avait pesé sur ses nerfs, car elle n'avait jamais été tout à fait sûre du moment où il se manifesterait. Ses explications sur son lieu de séjour, même à sa mère, avaient été vagues et peu instructives.

Lorsqu'ils eurent rejoint Rebecca, celle-ci entra la première dans le club, la tête haute telle une reine conduisant un cortège royal. En réponse, tous les regards convergèrent sur eux tandis qu'ils s'avançaient. La réaction principale était la curiosité, déguisée en d'aimables salutations. Plus ils pénétraient au cœur du salon de réception où l'on servait à boire, et plus Elizabeth devenait consciente d'une autre réaction.

Avec sa haute stature, sa silhouette élancée, ses cheveux épais et bruns couleur de tabac légèrement ondulés, et ses traits burinés comme ceux d'un aventurier, Jed Carrel était un homme irrésistiblement séduisant. Elizabeth le comprit, s'il retenait l'attention de tous, ce n'était pas simplement parce qu'il était un Carrel, ou parce qu'il était devenu un hors-la-loi pour sa famille. Peut-être une partie de son charme venait-elle du regard plein d'expérience de ses yeux mordorés, de l'impression qu'il donnait d'avoir beaucoup vu et beaucoup vécu sans jamais livrer ses secrets. Mais c'était plus encore, Elizabeth le savait avec certitude, cette puissante virilité, sa mâle assurance qui provoquaient les femmes.

Elle l'étudiait toujours à la dérobée quand il tourna la tête, et leurs yeux se croisèrent. Il avait été tout le temps conscient de son regard inquisiteur. Elle le lisait dans le pétillement amusé de son regard.

— A votre avis, que pensent-ils ? murmura-t-il en aparté, tout en faisant des signes de tête et serrant les mains des différentes personnes qui venaient les saluer.

— Que vous êtes devenu un bien bel homme. Sans doute les mères se demandent-elles si elles devraient laisser leurs filles à votre portée et si elles sont trop âgées pour vous mettre elles-mêmes le grappin dessus.

— Je ne m'attendais pas à un tel cynisme de votre part, Liza.

La fascination de son sourire la prit par surprise. Elle ne s'était pas rendu compte qu'il pouvait être aussi charmant, s'il le voulait. Elle détourna rapidement son regard, sentant la chaleur gagner son cou et fleurir ses joues d'un rose seyant.

Barbara Hopkins se détacha d'un groupe de jeunes et s'avança gracieusement à la rencontre d'Elizabeth. Le regard de son amie venait constamment se poser sur Jed, laissant peu de doutes à Elizabeth quant à la personne qu'elle désirait vraiment rencontrer.

— Elizabeth ! appela gaiement la jeune fille, tendant vers eux sa main chargée de bagues. Quelle robe sensationnelle !

Le regard de Barbara était plein de coquetterie, et Elizabeth était vaguement irritée toutes les fois qu'elle le tournait vers Jed. Mais le jeune homme n'avait pas l'air de le trouver trop doux pour son goût.

— Vous êtes la partenaire d'Elizabeth au tennis ?

Il lui sourit, tenant la main de Barbara plus longtemps qu'Elizabeth ne le jugea nécessaire.

— Oh oui, nous jouons au moins une fois par semaine. Y jouez-vous aussi, monsieur Carrel ?

— Jed... rectifia-t-il ... si je peux vous appeler

Barbara ? Oui, je fais du tennis, mais je n'ai pas joué récemment.

— Peut-être pouvons-nous organiser un double ?

Barbara lança à Elizabeth un regard significatif, lui faisant comprendre que ce n'était pas une idée en l'air.

— Il faudra que vous persuadiez Allan Marsden d'être votre partenaire.

A ces mots Elizabeth prit conscience de l'homme qui se tenait à sa gauche.

Entendant prononcer son nom, il s'avança, offrant un verre à Elizabeth.

— Bonsoir Elizabeth, je vous attendais.

Il accompagna ses paroles d'un sourire plaisant. Dans ses yeux on lisait l'ébauche d'une question.

Evitant de le regarder en face, elle répondit :

— Il y a eu un changement de programme à la dernière minute.

Elle avait pleinement conscience de l'avoir dissuadé de l'accompagner ce soir, sous prétexte qu'elle arriverait au club de bonne heure.

Jed laissa glisser sa main du coude d'Elizabeth jusqu'à sa taille et se pencha par-dessus son épaule.

Elle trouva déconcertant le caractère familier de son geste.

— Vous devez être Allan Marsden. Elizabeth m'a parlé de vous.

Il lui tendit la main.

— Je suis Jed Carrel.

— Bienvenue au pays, dit Allan.

Il lui donna une poignée de main ferme et sourit.

— Je suppose qu'on a dû vous le dire très souvent...

De ses yeux fauves Jed jeta sur Elizabeth un regard en coulisse.

— Pas au point de m'en lasser, fit-il.

Les doigts d'Elizabeth se crispèrent sur le verre qu'Allan lui avait donné, comme elle se demandait si quelqu'un lui avait déjà souhaité la bienvenue. Certainement pas elle, ni sa mère. Quelle cruelle ironie du sort si c'était un inconnu qui lui en adressait les premiers mots !

— Je vois que vous êtes ici depuis assez longtemps pour avoir découvert le bar, observa Jed, jetant un bref coup d'œil à la boisson glacée dans le verre d'Allan.

— Laissez-moi vous montrer où il se trouve, offrit rapidement Barbara.

Son amie ne perdait pas de temps pour affirmer ses droits sur Jed, pensa Elizabeth dans un éclair d'amertume qui la surprit. Ses yeux verts s'étaient assombris, et le regard de Jed devint ouvertement railleur.

Les plis autour de sa bouche se creusèrent tandis qu'il réprimait un sourire.

— Vous m'excuserez, n'est-ce pas, petite sœur ?

Elle acquiesça d'un signe de tête.

— Naturellement.

Elle sentit soudain un frisson gagner sa taille à l'endroit exact qu'il avait réchauffé de sa main. Même sa voix perdit de la chaleur.

— Jed ne correspond certainement pas à ce que j'attendais, remarqua Allan d'un ton calme, en observant le jeune homme à qui Barbara frayait lentement un chemin dans la foule.

— Vraiment ? Pour quelle raison ?

Allan lui lança un regard aigu, et prit son temps avant de formuler sa réponse.

— D'après ce que j'ai entendu dire depuis son retour, je m'attendais à voir quelqu'un de plus belliqueux et de plus arrogant. Son air assuré et son charme naturel m'ont pris par surprise.

Elizabeth ne voulait pas entamer de discussion sur Jed. Elle cherchait à empêcher son regard d'être attiré par le magnétisme de sa silhouette, que l'on distinguait encore à l'autre extrémité de la pièce.

— Je voulais m'excuser pour le malentendu de ce soir. J'espère que vous n'êtes pas arrivé ici trop tôt, pensant m'y trouver.

— Non, il n'en a rien été.

Mais il était impossible d'éviter complètement de parler de Jed. Presque tous ceux qui leur adressaient la parole faisaient quelque remarque ou posaient quelque question à son sujet, et le radar ultra-sensible des yeux d'Elizabeth le situait à tout moment dans la pièce. Elle avait beau s'efforcer de ne jeter que des regards distraits et qui ne visaient personne, c'était immanquablement sur Jed que revenaient se poser ses yeux.

A la longue table du dîner, Elizabeth et Allan étaient placés du côté opposé à Jed et à la sempiternelle Barbara. Mais Elizabeth était bien obligée de le voir toutes les fois qu'elle regardait dans cette direction. Tandis que se déroulait le repas, elle se sentit de plus en plus écœurée par la conduite de son amie.

La façon qu'avait sans cesse Barbara de se pencher confidentiellement vers lui et de le frôler comme par accident, lui coupa l'appétit. L'impudence du flirt ne laissait rien à l'imagination des spectateurs, et il y en avait beaucoup. Lorsqu'on en arriva au dernier plat, la colère couvait en elle, explosant en flammes brûlantes toutes les fois que ses yeux se dirigeaient vers Jed, c'est-à-dire de plus en plus souvent. Le son joyeux du rire de Barbara attira de nouveau son attention et, cette fois, Jed la vit et soutint son regard, tandis qu'un coin de sa bouche se retroussait nonchalamment, marquant son amusement. Elizabeth comprit qu'elle avait trahi la répugnance et le dégoût inspirés par leur comportement. Puis Barbara posa sa main sur la manche de la veste de Jed en un geste légèrement possessif, et monopolisa de nouveau son attention.

Elizabeth fixa son assiette à dessert intacte, les nerfs si tendus qu'elle s'attendait à les sentir lâcher à tout moment. Elle sourit à Allan d'un air contraint et, s'excusant, se leva de table.

Elle se maudissait intérieurement d'attirer ainsi tous les regards sur elle ; mais tant pis, se dit-elle, il lui fallait absolument quitter la pièce pour retrouver son équilibre.

La dame des toilettes lui prodigua des recommandations dont elle ne tint aucun compte, respirant à fond pour se détendre et se forçant à relâcher les muscles contractés de son cou. Ouvrant le robinet d'eau froide, elle laissa le frais liquide ruisseler sur ses poignets pour calmer la fièvre qui courait dans ses veines.

Elle attendit délibérément que les invités aient terminé leur repas pour revenir à la salle de réception où était installé un petit orchestre engagé pour la soirée.

Malheureusement, Allan était avec Jed et Barbara.

— Alors, tout va bien? demanda Allan, avec un sourire accueillant.

— Apparemment, répondit-elle avec un soupir qui voulait paraître satisfait.

— Je suis heureuse que ma responsabilité se soit limitée à la vente des billets, dit Barbara. Maintenant je peux tout simplement profiter de la soirée.

Sa main était posée sur le bras de Jed.

— Quelle bonne idée a eue Elizabeth de vous confier cette mission, murmura Jed, jetant un coup d'œil à la blonde jeune femme. Je suis sûr qu'il n'y a pas eu un seul homme dans toute la ville pour refuser de vous en acheter, sauf s'il était avec sa femme.

— Jed Carrel!

Barbara eut l'air vraiment choquée, mais c'était seulement un jeu.

Elizabeth passa la langue sur ses lèvres et se tourna vers Allan.

— Il paraît que l'orchestre est excellent, dit-elle.

Comme à un signal, celui-ci entama l'ouverture du premier morceau. Une main — celle de Jed — toucha légèrement le bras d'Elizabeth. Elle le regarda fixement, incapable de cacher le mépris qui faisait passer dans ses yeux des lueurs d'émeraude.

— En toute justice, dit-il, puisqu'un Carrel est le principal responsable de cette soirée, c'est à nous d'ouvrir le bal.

Elizabeth aurait refusé, si elle n'avait pas été aussi certaine que c'était précisément ce que voulait Jed.

Au contraire, elle acquiesça d'un signe de tête et le laissa lui prendre la main.

Arrivé au centre de la piste, il la prit dans ses bras et s'arrêta. Avec une nonchalance désinvolte, il examina son expression maussade et si totalement dépourvue d'enthousiasme.

— J'ai l'impression de tenir un morceau de bois. Détendez-vous, Liza, gronda doucement Jed, et souriez. Vous n'allez pas au poteau d'exécution.

— Vraiment ?

Mais elle eut un doux sourire, contraignant ses muscles à s'assouplir sous la conduite de Jed tandis qu'il l'entraînait dans la danse. Sa ferme pression lui permit de suivre aisément son rythme. A chaque pas, elle se sentait devenir plus légère : sa raideur diminuait sous l'effet de la grâce naturelle du jeune homme. Depuis le début de la danse il tenait ses yeux plongés dans les siens. A présent, Elizabeth avait le sentiment de tomber toujours davantage sous l'emprise de son regard sombre, aux teintes d'ambre.

Ils firent deux fois le tour de la piste avant que le premier couple se joigne à eux. Jed ralentit leur allure, et limita leurs évolutions à un espace plus restreint.

— N'est-il pas préférable de s'acquitter de son devoir dès la première danse ?

Son ton légèrement sarcastique fit s'évanouir la magie de la musique, rêveuse et sentimentale.

Se libérant du pouvoir que ses traits exerçaient sur elle, Elizabeth fut frappée par le contraste entre le col de sa chemise blanche et le hâle sombre de sa peau.

Elle-même avait la gorge desséchée, sans doute à cause de la chaleur du bras qui l'enlaçait et des jambes aux muscles puissants qui se pressaient contre les siennes.

— C'est préférable en effet, convint Elizabeth d'une

voix rauque, faisant légèrement pression sur son bras pour qu'il ne la serre pas trop contre ses hanches.

— Maintenant, chacun se dit « comme ils dansent bien ensemble ».

Du coin de l'œil, elle pouvait constater que Jed n'avait jamais cessé de l'observer. Elle jeta un rapide regard circulaire dans la salle pour vérifier son affirmation. Ils étaient le point de mire général.

— Si je n'avais pas dansé avec vous, ils auraient passé la nuit entière à se demander pourquoi.

— Vous auriez été très contrarié, dit-elle d'un ton de défi.

Jed sourit.

— Je me demande ce que diraient les gens de Carrelville s'ils savaient à quel point les sarcasmes viennent aisément aux lèvres attrayantes de la jeune et belle veuve Carrel. C'est ainsi qu'ils vous nomment, vous savez « la jeune veuve Carrel ».

La ligne ferme de sa bouche se tordit en signe de dérision.

— A leurs yeux vous êtes une femme courageuse, vous vous êtes élevée au-dessus de la tragédie qui vous a frappée si jeune, pour vous comporter toujours avec le maximum de bienséance, et vous êtes fidèle à la mémoire vénérée de votre mari. Peut-être devriez-vous demander à être canonisée ?

Ses joues s'empourprèrent violemment.

— Pourquoi en parlez-vous comme si je devais en avoir honte ?

— Vous rougissez ! Encore un article rare !

Elizabeth devina qu'il haussait imperceptiblement les épaules.

— Je me suis toujours méfié des saintes nitouches en ce monde. Peut-être parce que très tôt dans ma vie j'en ai eu assez d'avoir Jeremy cité en exemple. Pourtant j'ai toujours su qu'il n'était pas différent de moi. On m'a trop souvent fait payer le prix de ses méfaits.

— Devons-nous absolument parler de Jerry ? demanda Elizabeth.

Elle souffrait de ne pouvoir se remémorer le visage de son mari sans l'aide d'une photographie.

— Vos souvenirs sont si pénibles ? railla Jed.

Elle avait détourné la tête, et lui présentait son visage de profil. Il la regardait intensément. Elle leva la tête pour faire éclater à la face de Jed toute la force du ressentiment qui étincelait dans ses yeux verts. Ses boucles d'ébène effleurèrent ses épaules nues. Elle aurait tant voulu le surprendre en avouant qu'elle avait un souvenir très vague des quelques mois passés avec Jeremy, et qu'elle avait presque oublié son existence jusqu'au retour de Jed. Le souvenir de sa première rencontre avec Jed était plus clair et plus vif que sa nuit de noces avec son mari. Elle retint l'aveu sur ses lèvres.

— Pensez ce que vous voudrez, répondit-elle amèrement.

— Savez-vous ce que je pense ? murmura-t-il avec une douceur pénétrante. Je suis curieux de savoir pourquoi vous êtes tellement sur la défensive chaque fois que je prononce son nom.

— Peut-être à cause de votre agressivité vis-à-vis de lui, rétorqua-t-elle.

Le morceau prit fin, et elle se dégagea de ses bras aussi rapidement que possible. Ses jambes vacillaient dangereusement. Elle comprit qu'il en avait été ainsi depuis le début de la danse, mais Jed l'avait si fermement soutenue qu'elle ne s'en était pas aperçu.

D'un bras passé autour de sa taille, il la guida hors de la piste.

— Vous n'êtes pas en forme ? dit-il à mi-voix, d'un ton moqueur.

— Je crois que c'est l'immense soulagement de ne plus avoir à danser avec vous, murmura entre ses dents Elizabeth, furieuse.

— Voici Allan, votre adorateur.

Jed sourit, perfide.

— Il attend patiemment que je veuille bien vous rendre à lui. Savez-vous, il me fait penser à Jerry.

— Il ne lui ressemble pas du tout, répondit-elle, sûre d'avoir raison. Allan a le teint clair et Jeremy avait le teint mat.

— Je ne parle pas de son apparence.

Il eut un petit rire.

— Je parle de son tempérament. Votre Allan ne jouera jamais avec le feu, il aurait trop peur de faire flamber la baraque.

— Qu'y a-t-il, Jed ?

Elle s'emporta soudain.

— Etes-vous jaloux parce qu'Allan a réussi sa vie, tandis que vous êtes rentré chez vous ayant raté la vôtre ?

— Oh Liza !

Jed contrôlait sévèrement sa voix, mais la colère trembla dans le soupir dont il accompagna son nom. Il respira à fond. Ses yeux se rétrécirent. Des flammes les parcoururent en signe d'avertissement.

— Vous êtes donc capable, vous aussi, de jouer avec le feu ?

Elizabeth rejoignit Allan presque en courant, plus effrayée qu'elle ne voulait l'admettre par la colère aperçue. Allan était son sauveur et elle se raccrocha à lui.

Barbara attendait en compagnie d'Allan et elle s'avança vivement à la rencontre de Jed. Il lui fit un sourire, comme s'il répondait à la promesse silencieuse de ses yeux.

Un même sentiment d'écœurement étreignit à nouveau Elizabeth.

— Barbara, j'ai besoin de boire un verre, déclara Jed, lançant à Elizabeth un regard oblique encore chargé de colère. Pourquoi ne me conduiriez-vous pas au bar ?

Allan demanda à Elizabeth :

— Voulez-vous boire quelque chose ?

Elizabeth se serait bien accommodée d'une bonne rasade d'alcool, mais pour rien au monde elle n'aurait suivi Jed et Barbara. Elle refusa fermement, secouant énergiquement la tête pour essayer de faire taire les voix intérieures qui l'avertissaient du danger.

La soirée avait été gâchée au-delà de tout espoir, mais elle fit front, résolue à s'amuser comme Jed. Allan se montrait extrêmement attentif à ses moindres désirs. La gaieté et les sourires d'Elizabeth l'encourageaient encore plus. Ce n'était pas très gentil ni très honnête de la part d'Elizabeth de le fixer de ses yeux verts toutes les fois que l'ombre de Jed passait sur elle. Malgré ses efforts, la présence de son beau-frère s'imposait inéxorablement à la jeune femme.

Barbara s'efforçait de l'avoir tout à elle, mais il arrivait à Jed de danser avec d'autres, et Elizabeth le remarqua. « Il fait encore son devoir » pensa-t-elle, haineusement. Derrière ses sourires, le ressentiment bouillonnait. Il explosait en flammes de dégoût toutes les fois qu'elle voyait Jed et Barbara sur la piste de danse.

Quand minuit sonna, sa tête bourdonnait sous la tension d'émotions constamment réprimées. Elle était certaine de ne pouvoir endurer ce supplice plus longtemps sans hurler. Ses nerfs étaient à vif. La nausée la tenaillait en permanence. Elle manqua crier de soulagement quand elle vit Rebecca s'approcher d'elle.

— Elizabeth, je pense qu'il est temps que nous partions, déclara sa belle-mère, adressant à Allan un sourire poli.

L'expression d'Allan montrait qu'il se préparait à offrir de reconduire Elizabeth chez elle. Il allait parler, mais elle prit les devants.

— Je serai prête quand vous voudrez, Rebecca, acquiesça-t-elle vivement, puisant dans ses réserves pour trouver la force de sourire à Allan.

— Peut-être pourrons-nous déjeuner ensemble un jour de cette semaine ? lui dit-elle.

Il hésita légèrement avant de se résigner à sa demi promesse.

— Oui, d'accord.

Ils échangèrent de rapides au revoir ; Elizabeth et Rebecca se dirigèrent vers la sortie.

— Jed vous a-t-il donné les clefs ? demanda Elizabeth, ouvrant son sac à main pour voir si par hasard elle en avait d'autres.

Rebecca fronça le sourcil.

— Jed est allé chercher la voiture. Où pensiez-vous qu'il était ?

Elizabeth jeta un regard en arrière, et fut surprise de voir Barbara, souriante, danser avec quelqu'un d'autre.

— Je croyais qu'il allait rester plus longtemps, murmura-t-elle.

— Il part avec nous.

La réponse était ferme, comme s'il était impensable qu'il en fût autrement. La voiture était devant la porte quand elles sortirent. Le chasseur avait ouvert les deux portières, Jed était au volant, le moteur en marche.

— Quel soulagement d'être loin de tout ce bruit, soupira Rebecca. C'est énervant au bout d'un certain temps.

Ce sentiment était partagé par Elizabeth, dont les tempes vibraient encore. Elle savait que le joyeux vacarme de la soirée n'était pas seul responsable de son trouble, il l'avait seulement stimulé. Protégée par l'obscurité, elle foudroya du regard le mâle profil du conducteur.

— Ce soir, je parlais à Clive Bennet, poursuivit sa belle-mère, c'est un des administrateurs du country-club. Le poste de directeur exécutif sera libre le 1er septembre. Je l'ai sondé sur la possibilité de te le confier. Le club marche plus ou moins tout seul. Le professeur de golf s'occupe des *greens* et le gérant du restaurant veille à l'approvisionnement. Ton rôle consisterait strictement à superviser l'ensemble.

— Merci mère, mais non, refusa Jed d'un ton égal.

— Qu'as-tu l'intention de faire exactement ?

L'impatience aiguisait la voix de Rebecca, et son ton était coupant.

— Ce que j'ai fait jusqu'à présent.

— C'est-à-dire rien, rétorqua-t-elle.

Il eut un pâle sourire.

— Je sais qu'en faisant cette demande pour mon compte vous aviez les meilleures intentions, mais je crois être capable de décider par moi-même de mon avenir.

— Je jurerais que tu seras un propre à rien pour le reste de ta vie, grommela Rebecca.

— Mais après tout, Mère, c'est *ma* vie, n'est-ce pas ?

Il lui jeta un regard oblique, avant de se concentrer sur la grand-route illuminée par les phares de la voiture. Il était si insolemment certain de toujours savoir ce qu'il fallait faire ! pensa Elizabeth avec colère.

Elle le vit qui la regardait dans le rétroviseur, et elle se tourna vers la vitre.

Si seulement il pouvait partir, souhaita-t-elle silencieusement, et ne plus bouleverser le cours paisible de ma vie.

6

— Amy a été sage ?

Elizabeth tira de son porte-monnaie la somme convenue et la tendit à la jeune fille.

— Je n'ai eu aucun problème, affirma Cindy.

— Nous ne vous avons pas fait veiller trop tard, j'espère.

Elizabeth sourit froidement et repoussa de la main une mèche de cheveux noirs. Elle était consciente de la présence de Jed tout près de la porte d'entrée. Il les observait, prêt à ramener Cindy chez elle.

— Je ne voudrais pas que vos parents se fassent du souci.

— Oh non, Madame Carrel, certainement pas ! Je leur ai expliqué que vous alliez au bal ce soir, et ils s'attendent à me voir rentrer beaucoup plus tard.

Hochant la tête, Elizabeth se tourna vers Jed pour le prier gentiment de raccompagner Cindy. Il souriait à la jeune fille, qui lui rendait timidement son regard.

— Si vous n'êtes pas attendue chez vous immédiatement, cela veut dire que nous pouvons rentrer par le chemin des écoliers, n'est-il pas vrai ? dit-il avec un clin d'œil.

La remarque était taquine, mais inoffensive. Pourtant les doigts d'Elizabeth se crispèrent. Le visage de Cindy était devenu rouge écarlate. Sa propre adolescence n'était pas si éloignée qu'Elizabeth ne pût reconnaître les symptômes d'un béguin de collégienne. A cet âge peu importait que la suggestion de Jed fût une plaisanterie. Ce qui comptait, c'était qu'il lui eût prêté attention.

Ce n'était pas la première fois ce soir-là qu'Elizabeth avait remarqué ce type de réaction. Elle avait vu des femmes d'une bonne soixantaine d'années s'épanouir aussi rapidement sous l'effet de son charme. Toutes les femmes, semblait-il, étaient vulnérables devant la considérable force virile qui émanait de lui.

— Bonne nuit, Cindy.

Le léger agacement dans sa voix ne passa pas inaperçu de Jed, qui plissa le front, moqueur.

— Bonne nuit, Madame Carrel, répliqua Cindy, jetant à Jed, qui lui avait ouvert la porte, un rapide coup d'œil à travers ses cils.

Un tout petit sourire un peu coquet retroussa légèrement les lèvres de la jeune fille tandis qu'elle franchissait le seuil. Elle prit soin de ne pas révéler l'appareil correcteur qui recouvrait ses dents, et aurait rappelé à Jed son extrême jeunesse. Elizabeth, emportée par la colère, s'éloigna comme un ouragan avant que la porte se fermât derrière eux.

Son élan lui fit gravir d'un coup les marches qui montaient à sa chambre, mais elle n'éprouva aucun soulagement à se retrouver seule dans la pièce. Ses nerfs tendus à hurler refusaient de se calmer, malgré la protection des murs. Au contraire la douleur lui battait les tempes plus furieusement qu'avant.

Avec des gestes impatients, elle se dépouilla de sa robe du soir en dentelle. Elle fit glisser au-dessus de la tête sa chemise de nuit vert pâle, revêtit une robe de chambre du même ton, ajusta le cordon autour de sa taille et passa dans la salle de bains voisine. Elle avala à la hâte deux cachets d'aspirine accompagnés d'un verre d'eau, en espérant que leur effet ne tarderait pas.

Ses mains étaient agitées d'un tremblement révélateur tandis qu'à l'aide d'une crème elle faisait disparaître le maquillage de son visage. Sans son masque de cosméti-

82

ques, elle perdait son air sophistiqué. La lueur d'un vague désir brillait dans ses yeux verts.

Où donc Elizabeth avait-elle déjà vu cette expression ? Soudain la réponse jaillit : c'était la même que tout à l'heure dans ceux de Cindy. Avec dégoût, elle reposa violemment le pot de crème démaquillante sur l'étagère.

Vivement, elle retourna dans sa chambre. Un regard à la pendulette près de son lit lui apprit que Jed avait déjà dû déposer Cindy chez elle. Il devait être en route... pour quelle destination ? Sans aucun doute, il allait retourner au Country Club et tomber dans les bras complaisants de Barbara. Oui, se dit-elle sombrement, c'est exactement ce qu'il va faire. Il était parti volontairement pour la reconduire à la maison avec Rebecca, pour ne pas être encombré plus tard. Avec Barbara il aurait toute la nuit pour... elle n'alla pas jusqu'au bout de sa pensée. Un frisson de nausée la secoua tout entière.

Son imagination devenait trop vive. Il lui fallait débarrasser sa bouche de son goût amer. Se forçant à avancer d'un pas souple et silencieux, Elizabeth prit le couloir jusqu'à la chambre d'Amy, tourna doucement la poignée et entra.

Debout près du lit, elle contempla la silhouette menue de sa fille endormie, la chevelure sombre contre l'oreiller blanc paraissait luire dans la pénombre. Les couvertures étaient en partie rejetées. Elizabeth les tira à elle pour en envelopper Amy. Une joie sereine emplissait son cœur en de tels moments : elle était heureuse de savoir que, s'il plaisait à Dieu, elle serait toujours là pour veiller sur sa fille.

Soupirant avec mélancolie, elle se détourna du lit. Si seulement elle avait aussi quelqu'un pour veiller sur elle et la protéger de... A nouveau elle s'arrêta à mi-course. La protéger de quoi ? Qu'était-ce donc qui soudain l'effrayait tant ? C'était absurde. Elle secoua la tête fermement et se reprocha sa nervosité. Elle divaguait. Rien ne la menaçait.

Elle était sur le palier, la main encore sur la poignée lorsqu'elle entendit un bruit de pas dans l'escalier. La porte se referma avec un déclic et Elizabeth se figea : les pas s'arrêtèrent en même temps. Jed se trouvait à mi-hauteur de l'escalier, la cravate en partie dénouée autour de sa gorge, les pans de la veste entrouverte de son smoking noir flottant sur son plastron blanc.

Son regard fauve la tenait captive, et elle se sentit menacée par sa virilité qui l'enserrait de toutes parts avec une force suffocante.

Jed dégagea totalement sa cravate et la balança négligemment dans sa main tandis qu'il finissait de gravir les marches. Elizabeth ne bougeait toujours pas, fascinée par la grâce spontanée de ses mouvements. Lorsqu'elle releva le menton pour rencontrer à nouveau son regard, maintenant qu'il se trouvait dans le couloir, elle prit conscience de l'avoir attendu au lieu de battre en retraite comme elle l'aurait dû :

— Amy va bien ?

— Oui. Elle dort.

Sa réponse brève trahissait son énervement. Elle était troublée de n'avoir pas bougé. Ses doigts se crispèrent sur le col de sa robe de chambre : geste défensif que ne justifiait aucun mouvement de Jed dans sa direction. Les traits fins et cyniques du jeune homme se firent soudain attentifs.

— Qu'y-a-t-il, Liza ?

Il y avait toujours cette indolence traînante dans sa voix, mais c'était seulement un mince écran dissimulant mal son âpreté. Ses pupilles se rétractèrent dangereusement tandis qu'Elizabeth détournait les yeux.

— Je ne sais pas de quoi vous parlez, répondit-elle d'une voix contrainte.

Elle fit demi-tour pour retourner à sa chambre.

— Quelque chose vous préoccupe, avança Jed délibérément.

— En admettant que ce soit le cas, dit-elle à voix basse pour ne pas réveiller sa fille et en s'efforçant à un ton de froide indifférence, c'est la surprise de vous voir rentrer si tôt. Je ne m'attendais pas à votre retour avant demain matin.

— Où vouliez-vous que je sois? dit-il d'un ton provocant.

— Je n'ai pas essayé d'imaginer quel endroit perdu vous pourriez choisir avec Barbara, répondit-elle avec une hauteur glaciale.

— Je la croyais votre amie, reprit-il d'une voix lente et ironique.

— Elle l'est, gronda Elizabeth, bouillant de rage.

— Alors pourquoi toute cette indignation? Je me suis juste montré amical à son égard.

Il se moquait d'elle avec un cruel cynisme.

— Amical?

Elle releva froidement le défi.

— Quand vous dansiez avec elle, vous la serriez de si près qu'il ne pouvait subsister aucune équivoque. Je ne suis pas la seule à l'avoir remarqué.

— Et quand même ce serait vrai, qu'est-ce que cela peut bien vous faire?

Il n'essayait pas de nier, ce qui mit le comble à la fureur d'Elizabeth.

— Parce qu'il est indigne et révoltant de se conduire ainsi en public, riposta-t-elle d'une voix aiguë, au bord de l'hystérie.

Baissant la tête, elle respira à fond et retrouva un peu de calme.

— J'ai trouvé la situation extrêmement embarrassante. Votre comportement a été ignoble.

— Et Barbara? Vous ne dites rien de sa conduite? Croyez-vous qu'elle ait été la victime innocente d'avances non désirées? dit-il d'un air sarcastique.

— Je ne lui pardonne pas non plus son attitude.

— D'où tenez-vous le droit de vous ériger en juge? dit Jed d'un ton méprisant.

Elizabeth se dirigea vers la porte de sa chambre. Jed la fit pivoter brusquement et lui entoura le cou de sa cravate qu'il retint d'une main sous son menton.

— Je n'arrive pas à décider si vous êtes frigide ou tout simplement prude.

— Lâchez-moi ! ordonna-t-elle, refermant les doigts sur le poignet de Jed.

Mais ses efforts ne parvenaient pas à la libérer de son étreinte d'acier. Son cœur battait follement dans sa poitrine tandis que Jed se servait de sa cravate pour l'attirer de plus en plus près de lui. Les yeux du jeune homme flambaient sauvagement, et elle perdit ce qui lui restait de sang-froid. Son souffle se fit court et haletant, comme il posait son regard sur ses lèvres.

— Il est temps que je m'en assure, dit-il sur le ton de l'analyse détachée.

Déjà la pression de ses hanches se faisait sentir à travers le peignoir de soie tandis qu'Elizabeth se cambrait pour lui échapper, s'appuyant de ses mains sur la poitrine de Jed solide comme un mur. Un furieux sanglot de désespoir lui déchira la gorge.

— Vous aviez dit que vous ne vouliez pas me toucher ! lui rappela Elizabeth hors d'elle, pendant que la cravate de Jed mordait sa nuque et l'attirait inexorablement à lui.

Les lèvres de l'homme se retroussèrent en un mince sourire.

— Et vous vous êtes sentie en sécurité, n'est-ce pas ? Vous avez cru pouvoir me provoquer sans danger ?

Son visage mâle raillait la sottise de la jeune femme.

— Avez-vous oublié qui je suis ? Je suis Jed, le vaurien, la brebis galeuse. N'avez-vous pas appris que l'on ne peut pas me faire confiance ?

— Non, supplia-t-elle faiblement.

La cravate autour de son cou et la main qui la tenait ne lui permettaient pas de s'arracher à lui tandis que ses lèvres couvraient les siennes de baisers lents, incessants, enivrants. S'il l'avait meurtrie ou brutalisée, peut-être aurait-elle résisté. C'était cette prise de possession par les sens qui causait sa perte.

A un certain moment il se débarrassa de la cravate, et ses mains moulèrent la douceur féminine de ses formes qu'il pressait plus étroitement contre la mâle dureté de son corps. Elizabeth sentit le ras-de-marée de son désir l'emporter vers des hauteurs vertigineuses, révélant en elle-même un foyer ardent de passion déchaînée dont elle n'avait jamais soupçonné l'existence.

Elle glissa les bras sous la veste de Jed, encerclant sa taille musclée. Le tissu léger de sa chemise blanche ressemblait à une seconde peau. A leur tour, les mains de Jed commencèrent une exploration intime qui laissa Elizabeth toute alanguie par la plénitude de ses réactions. Elle gémit doucement en signe de protestation lorsqu'elle sentit la pression des lèvres de Jed commencer à faiblir, et elle le serra plus fort.

— Bon sang! murmura Jed entre ses dents, comme s'il s'adressait un reproche. Elle en comprit la raison. Elle n'avait pas voulu non plus éprouver un tel sentiment pour lui.

Tandis qu'il prenait dans ses mains le visage d'Elizabeth pour l'éloigner de lui, elle battit des cils et ouvrit sur lui de grands yeux verts et lumineux. Leur regard trahissait la crainte que lui inspirait la profondeur de son désir pour Jed, mais l'implorait en même temps d'achever l'œuvre de possession. Dès qu'il comprit le message de ses yeux, le regard de Jed s'embrasa de lueurs dorées.

— Liza.

Elle détesta la calme maîtrise avec laquelle il contrôlait sa voix.

— Je vous en prie...

Elle ferma les yeux, se pressant contre lui et frottant sa joue contre la paume de Jed comme un chat sollicite la main qui a cessé de le caresser.

— Je n'ai pas envie de parler.

Il lui permit de se blottir contre sa poitrine. De ses mains, inconsciemment, il caressait ses épaules.

— Il y a quelques minutes vous me traitiez d'individu ignoble et révoltant.

Sa voix sourde se raillait d'elle avec un amusement cynique.

— Dois-je me sentir honoré, maintenant que vous avez envie de faire l'amour ?

Elle eut un cri de douleur refoulé.

— Je vous en prie...

Elle sentit une boule se former dans sa gorge et l'angoisse étouffa le reste de sa protestation.

— Je vous prie de quoi ?

Sa bouche effleura ses tempes.

— Je vous prie de comprendre ? d'oublier toutes les insultes ? De faire l'amour avec moi ? De quoi me priez-vous ? poursuivit Jed impitoyablement.

— Ne soyez pas cruel, murmura Elizabeth, la honte l'envahissant et lui dérobant son plaisir.

— Je regrette, j'ai envie d'être cruel ce soir, dit-il doucement. Je n'y puis rien.

Ses mains s'enfoncèrent dans les bras d'Elizabeth et la repoussèrent. Il ne la rejetait pas vraiment. Il la désirait : elle le savait. Elle n'était pas sans expérience. Femme, elle savait quand elle avait éveillé le désir d'un homme. Malgré tout, elle eut mal. Une larme perla au bord de ses cils. Jed la toucha du doigt. Elle coula dans le creux de sa main. L'amour-propre maintenait le regard d'Elizabeth fixé sur les traits impénétrables de Jed. Une envie douleureuse continuait à faire palpiter son corps.

— Je regrette, Liza, répéta Jed d'un ton plus doux, mais tout aussi ferme. Il est important de bien choisir le lieu et le moment. Je croyais avoir cessé de vous désirer, mais ce n'est pas le cas.

— Alors... pourquoi ? commença-t-elle à demander d'une voix rauque, mais il l'interrompit en posant son doigt sur les lèvres de la jeune femme.

— Alors pourquoi ne pas aller jusqu'au bout ?

Il eut un sourire d'ironie désabusée et poussa un soupir. Un feu écarlate embrasait les joues d'Elizabeth. Il la serra doucement entre ses bras, mais il y avait trop de retenue dans son étreinte pour qu'elle en tirât réconfort ou chaleur. Il lui parlait à l'oreille d'une voix vibrante et chargée d'émotion.

— Parce qu'une amère violence outrepasse mon désir, dit-il sombrement.

— Je ne comprends pas.

Elizabeth avait enfoui son visage contre son épaule, maintenant elle releva la tête pour le regarder, stupéfaite.

— Je le sais.

Son sourire n'altéra pas l'expression impitoyable qui faisait briller ses yeux.

— Peut-être un jour...

Il hésita. Elle le sentit se détacher d'elle, physiquement et affectivement.

— Bonne nuit, Elizabeth !

Il fit demi-tour et avança le long du couloir, sans jeter un seul regard en arrière, même lorsqu'il franchit le seuil de sa chambre et en referma la porte derrière lui. Vide et froide, Elizabeth demeurait à l'endroit où il l'avait quittée, partagée entre le désir de le suivre et la crainte du vague avertissement qu'il lui avait donné. Finalement elle retourna dans sa propre chambre et se glissa dans son lit. Elle tendit l'oreille pour capter quelque son venant de chez Jed, mais les murs de la vieille demeure étaient trop épais.

Elle n'était pas sûre de son attitude du lendemain matin. Il pouvait se moquer silencieusement de la façon dont elle s'était jetée dans ses bras, ou agir comme si rien ne s'était passé. Le bouleversement de ses propres sens était difficile à comprendre. Etait-ce une vague d'amour qui l'avait soulevée, ou seulement le reflux de sa longue abstinence ? En fin de compte, elle décida de voir venir et de laisser Jed faire le premier pas.

Le lendemain, elle eut la sensation accablante qu'il la traitait avec une totale indifférence et la tenait volontairement à distance. Sa façon, en présence des autres, de rester à l'écart, était plus marquée que jamais. Et puis, le soir, elle sentit son regard se poser sur elle intensément, avec une expression pensive, presque rêveuse. Il lui adressa un peu la parole, dialoguant principalement avec sa mère, mais il s'abstint de tout coup d'œil moqueur et de toute remarque sarcastique à son égard.

Cette politique d'attente était difficile à jouer pour Elizabeth. Elle passait par de telles alternatives d'espoir et d'abattement qu'il lui aurait fallu un baromètre, pensa-t-elle, pour en enregistrer les fluctuations. L'attraction physique exercée sur elle par Jed était indéniable. Le contact le plus accidentel faisait bondir ses sens. Elle le savait bien : il lui suffirait de la prendre dans ses bras pour qu'elle fût à lui s'il le voulait.

Cinq jours durant, elle subit ce supplice de Tantale. Jed passait dehors la plus grande partie de ses journées et quelques soirées. Mais à aucun moment il ne lui permettait d'oublier ce qui s'était passé entre eux. Toutes les fois qu'elle l'avait essayé, Jed lui avait lancé un regard destiné à le lui rappeler.

Combien de temps cette attente allait-elle durer ? se demanda Elizabeth avec un soupir. Soigneusement, elle découpa le pain, séparant la croûte de la mie, donnant à chaque tranche une forme différente : cercles, carrés, triangles. Des tartes feuilletées aux cerises refroidissaient sur la desserte : c'étaient les canapés, les gâteaux qui devaient être offerts aux membres du Club littéraire féminin de Rebecca.

Leur réunion mensuelle se tenait chez les Carrel ce jour-là, et tout naturellement Elizabeth avait été chargée de préparer le buffet.

— Puis-je t'aider, Maman ?
— Tu peux m'aider à faire les sandwiches.
Elle sourit à Amy.

— Combien de temps ces dames vont-elles rester ? demanda Amy d'un ton peu enthousiaste.

— Probablement jusque vers quatre heures, répondit Elizabeth.

Comme sa fille faisait la grimace, elle ajouta :

— Le mieux serait que tu demeures dans ta chambre jusqu'au moment où on servira les rafraîchissements.

— Je suppose que Mme Cargmore sera là, ronchonna Amy.

Elle imita sa voix :

— On doit voir les enfants mais ne pas les entendre.

— Du moins pas trop souvent, ajouta Jed en guise de conclusion.

Le couteau à pain tomba par terre avec un tintement sonore, manquant de peu le pied d'Elizabeth, tandis qu'elle se tournait vivement pour faire face à l'arrivant. Elle tenta de dissimuler sa confusion en se penchant pour récupérer le couteau, mais déjà Jed le lui présentait, agenouillé auprès d'elle. Malgré son air amusé et son sourire ironique, le regard doré qu'il posait sur elle lui fit l'effet d'une caresse.

— Quelqu'un devrait vous apprendre à faire attention, sinon vous finirez par vous trancher les orteils, la gronda-t-il gentiment.

Le cœur d'Elizabeth se mit à battre à un rythme inquiétant.

— Vous m'avez fait peur, dit-elle pour sa défense.

— Vraiment ? Peur ?... dit Jed, levant sur elle un sourcil interrogateur.

Elizabeth détourna vivement la tête. Il est parfaitement conscient du trouble qu'il provoque en moi, se dit-elle. D'un long regard, il l'enveloppa de la tête aux pieds, ses yeux pétillant joyeusement en revenant se poser sur son visage. Elle retint son souffle. Il n'avait plus son air distant, mais pourquoi ?

— Toutes ces bonnes choses ne peuvent pas être destinées à notre seule consommation. Donnons-nous une réception ?

Jed avait reporté son attention sur les sandwiches qu'Amy empilait avec soin sur les assiettes.

— Pas exactement, expliqua Amy. Maman et moi préparons les rafraîchissements pour la réunion du Club Littéraire de grand-mère.

— Je vais devoir changer mes plans pour l'après-midi... J'avais pensé rester par ici, mais pas si nous subissons une invasion.

— Ce n'est pas si terrible, murmura Elizabeth, le cœur de nouveau troublé.

Jed avait-il une raison particulière de désirer passer l'après-midi à la maison — peut-être avec elle ?

— Eh bien, je voudrais vraiment pouvoir m'en aller ailleurs.

Amy lécha ses doigts pour les débarrasser de la salade et prit une autre tranche de pain.

— Amy, ne fais pas cela. Maintenant va te laver les mains, dit Elizabeth d'un air désapprobateur.

Sa fille poussa un soupir maussade, remit à leur place couteau et pain et s'approcha de l'évier.

Jed s'appuyait contre la desserte et souriait à Amy.

— Ainsi tu as été condamnée à passer l'après-midi ici ? dit-il d'un ton taquin.

— Dans ma chambre, répondit Amy en écarquillant ses yeux bruns d'une manière expressive. N'est-ce pas excitant ?

— Eh bien, tu peux toujours t'asseoir et compter combien de fois Mme Garth éternue, suggéra-t-il. Son record a été de vingt-quatre fois, autant que je me souvienne.

— Tu as réellement compté ? gloussa Amy.

Elizabeth soupira, mais avec humour :

— Faut-il que vous l'encouragiez, Jed ? Votre mère trouve déjà qu'elle manque de respect pour ses aînés.

— Réflexion faite, proposa Jed avec un sourire, pourquoi ne viendrais-tu pas te promener avec moi cet après-midi ?

— Pourrions-nous nous arrêter à la ferme et voir les petits chiens ?

— Amy, tu…

Les mots d'immédiate désapprobation furent interrompus.

— Peut-être devrais-tu demander à ta mère la permission de m'accompagner, suggéra Jed, adressant à Elizabeth un sourire complice.

— Je t'en prie, Maman !

— Si Jed est vraiment sûr de vouloir t'emmener, je n'y vois pas d'objection, convint Elizabeth.

Son regard fut attiré de nouveau par le visage mince et ciselé de Jed, moins cynique, exprimant une patience indulgente, et plus irrésistible que jamais.

— Oh, j'en suis certaine, n'est-ce pas, oncle Jed ?

Sans perdre une seconde, Amy voulait se faire confirmer l'invitation.

— Oui, acquiesça-t-il d'un signe de tête. A mon avis, il vaut mieux partir avant que ta grand-mère découvre nos projets et nous transforme en une paire de rats de bibliothèque !

Déjà Amy, gloussant de joie, s'était précipitée vers la porte du fond. Silencieusement, Elizabeth observait que sa fille paraissait rechercher la compagnie de Jed autant qu'elle-même. Si seulement elle pouvait réagir avec autant de naturel et en y prenant un plaisir aussi évident, au lieu d'être torturée par le doute et l'excès de prudence !

— Je veillerai sur elle, dit-il calmement, interprétant mal son léger froncement de sourcils.

— Bien sûr, dit Elizabeth avec un faible sourire. Merci de le lui avoir proposé.

Elle eut l'impression que Jed soumettait ces mots à un véritable examen. Mais il s'abstint de tout commentaire sur son air contraint.

— Nous serons de retour plus tard dans l'après-midi, avec de la chance après le départ des dragons, dit-il, avant de suivre le chemin qu'Amy s'était impétueusement frayé.

Le regard d'Elizabeth s'attarda sur la silhouette élancée, qui, partant des épaules larges, s'effilait jusqu'à la taille fine et aux hanches étroites. Elle regrettait qu'ils ne lui aient pas demandé de les accompagner. Bien sûr, elle n'aurait pas pu accepter, reconnut-elle avec un soupir. Mais elle aurait souhaité voir Jed manifester le désir de sa compagnie.

Heureusement, elle n'avait pas à prendre part activement à la réunion de l'après-midi. En sa qualité de participant silencieux, elle n'était pas obligée de se concentrer sur les comptes rendus des livres présentés. Une fois la réunion terminée et les rafraîchissements servis, ces dames parurent vouloir s'éterniser, échangeant les potins de la ville. Mme Garth éternua une nouvelle fois, et Elizabeth eut du mal à réprimer un sourire. Cela ne peut continuer ainsi, se dit-elle sérieusement. Encore une fois, et elle éclaterait de rire quand elle verrait Mme Garth porter à ses narines son mouchoir brodé. Elle commença à rassembler les assiettes pour les porter à l'office.

A son troisième voyage, elle trouva Amy et Jed assis à la table de cuisine coloniale. Amy lui fit signe de se taire en mettant un doigt sur la bouche avec un air de conspirateur.

— Chut ! murmura-t-elle. Nous ne voulons pas que grand-mère nous sache rentrés. A-t-elle dit quelque chose ?

— Elle a seulement espéré que tu te tiendrais bien ! répondit Elizabeth à voix basse, omettant de mentionner la surprise initiale de Rebecca et ses doutes sur l'opportunité de laisser Amy partir avec Jed.

— Vous êtes-vous amusés ?

— Oh oui ! Tu devrais voir les petits chiots, maman ! Freda a dit que je pourrais en avoir un quand ils seront assez grands pour quitter leur mère.

— Nous verrons.

Elizabeth avait du mal à empêcher son regard de dévier trop souvent vers Jed. Une étrange oppression pesait sur sa poitrine depuis qu'elle était entrée dans la pièce et avait croisé ses yeux fauves.

— Il reste quelques tartes aux cerises. Voudriez-vous y goûter tous les deux ?

— Oui, s'il te plaît, dit Amy avec empressement, tandis que Jed se contentait d'un signe de tête.

Au moment précis où Elizabeth disposait les assiettes avec les tartes devant eux, l'écho d'un éternuement retentit dans la pièce. Jed jeta à Amy un coup d'œil entendu et sourit.

— Voilà Mme Garth de nouveau à l'œuvre, observa-t-il avec humour.

De la main Amy étouffa un gloussement.

— Combien de fois l'a-t-elle fait, à ton avis ? chuchota-t-elle gaiement.

— Dix-se...

Elizabeth se mordit vivement les lèvres, s'apercevant soudain, avec un sentiment de culpabilité, qu'elle avait bel et bien compté.

— Tu en es sûre ? dit Amy dont les yeux marron s'arrondirent de stupéfaction.

— C'est absurde, je...

Elle protestait par un réflexe de défense automatique, mais l'expression de leurs deux visages reflétait leur incrédulité.

— Combien de fois, Liza ? insista doucement Jed.

Un instant troublée, Elizabeth retourna à la desserte. Leur bonne humeur contagieuse commençait à avoir raison de sa contrariété. Un sourire affleura à ses lèvres.

— Fais-le-lui dire, oncle Jed, dit Amy.

Un rire contenu faisait trembler sa voix.

Quand Elizabeth vit Jed s'avancer délibérément vers elle, son cœur se mit à battre la chamade.

— Nous ne devrions pas nous moquer ainsi de Mme Garth, protesta-t-elle. Ce n'est pas de sa faute.

La vie d'Elizabeth avait été trop longtemps gouvernée

par une exigeante politesse pour qu'elle pût succomber facilement à leur impertinence joyeuse, bien qu'innocente.

— Combien, Liza ?

Un large sourire la mettait au défi de maintenir son refus de les renseigner. Elizabeth pivota pour lui faire face. Elle s'était adossée à la desserte et ses doigts s'agrippaient à la ferme surface du meuble.

— Ce n'est pas poli.

Son tact habituel et son sens des convenances étaient en passe d'être submergés par l'assaut de son regard amusé.

— Combien ? persista Jed.

Maintenant il était devant elle. Sa proximité affaiblissait la résistance d'Elizabeth. Un sourire commença à percer, qu'elle voulut réprimer en serrant hermétiquement les lèvres. Elle jeta à sa fille un regard éperdu. Mais le contact des mains du jeune homme sur ses épaules fit jaillir son rire cristallin si longtemps refoulé.

— Jed, je vous en prie !

A travers sa joie, sa protestation mal assurée annonçait la défaite. Elle posa ses mains écartées sur la poitrine de Jed en un dernier effort pour tenir à distance le séduisant personnage.

Renversant la tête en arrière, il eut un petit rire de triomphe et l'attira à lui, ceinturant sa taille de ses bras musclés.

— Vous ne pouvez vous échapper, Liza, avant de nous l'avoir dit.

— Dix-sept ! répondit-elle immédiatement, à bout de souffle.

Le bruit d'un nouvel éternuement leur parvint, et tous trois éclatèrent d'un rire immense.

Elle ne se rappelait pas avoir jamais autant ri. La sensation était radieuse, d'autant plus merveilleuse, qu'elle la partageait avec Jed. Peu à peu ils s'apaisèrent, et Elizabeth reprit son souffle. Elle s'aperçut qu'elle était blottie au creux de son bras, la tête reposée contre son épaule.

De la main, Jed releva le menton d'Elizabeth. Elle était beaucoup trop satisfaite et heureuse pour pouvoir s'empêcher de contempler ses traits masculins, qui exerçaient sur elle une attraction irrésistible.

— Jamais je ne vous ai vue plus belle, murmura-t-il d'une voix rauque.

La lumière de ses yeux dorés était une caresse brûlante sur le visage de la jeune femme.

— Vous devriez rire ainsi plus souvent.

— Vraiment ? répondit-elle à voix basse, savourant intensément ce moment de chaleur ardente, incapable de décider si la fièvre qui lui embrasait la peau naissait à son contact ou brûlait dans ses propres veines.

— Oui, vraiment.

Il y avait un amusement moqueur dans sa voix, mais le message qu'elle lut dans son regard, comme il la serrait doucement contre lui, avait un tout autre sens.

D'une longue caresse, Jed effleura les épaules et le dos d'Elizabeth.

Un léger bruit près de la table rappela soudain à Elizabeth qu'ils n'étaient pas seuls. Amy les observait avec un intérêt évident. Vite elle détourna la tête et déroba sa bouche aux lèvres de Jed si proches, laissant échapper un léger cri lorsqu'il opta pour le lobe de l'oreille.

— Jed, je vous en supplie, murmura-t-elle, tout en jetant un coup d'œil embarrassé à sa fille qui les regardait avec des yeux agrandis.

— P... pas devant Amy.

Il releva la tête et l'éloigna d'elle de quelques centimètres, feignant la discrétion. Un sourire ambigu anima ses lèvres viriles, sensuelles. Ses yeux scintillants restaient fixés sur Elizabeth.

— Amy, me donnes-tu la permission d'embrasser ta mère ? demanda-t-il doucement.

— Oui ! répondit promptement Amy, avec un large

regard complice. Elle s'installa confortablement sur sa chaise pour ne rien perdre du spectacle.

— Vous voyez ? se moqua-t-il.

Cette fois il ne laissa aucune chance à Elizabeth d'échapper à son baiser. Il lui prit le menton fermement et s'empara de ses lèvres. Sous son étreinte magistrale, elle s'abandonna au tourbillon de l'inévitable, laissant les vagues se rompre au-dessus de sa tête, submergée par la force supérieure de son attraction.

Un cri horrifié brisa net l'élan passionné qui était sur le point d'engloutir Elizabeth. Tandis qu'elle se dégageait de la pression des lèvres tendres de Jed, son regard stupéfait rencontra les mines choquées de trois des membres du Club Littéraire. Elle se redressa. Jed relâcha à demi son étreinte, tout en lui tenant la taille très ostensiblement. Avant de se tourner vers le trio, il jeta un regard moqueur sur les joues écarlates d'Elizabeth.

— Vous désirez quelque chose, mesdames ? demanda-t-il d'une voix incroyablement calme.

— Nous étions sur le point de partir, dit l'une d'elles en reniflant.

— Nous voulions voir Elizabeth pour lui dire au revoir, répondit une autre, fronçant le sourcil et lançant un coup d'œil désapprobateur à la jeune femme.

La troisième se contenta de promener son regard d'Elizabeth à la radieuse Amy. Son indignation choquée les condamnait irrémédiablement par son silence.

A peine les trois femmes avaient-elles quitté la cuisine que déjà on pouvait les entendre échanger des propos rapides : sans aucun doute elles comparaient leurs réactions.

— Cela vous ennuie-t-il, dit Jed, de savoir que vous allez être le sujet d'un grand nombre de conversations ?

La question était posée avec douceur, mais la mettait au défi. La gorge d'Elizabeth se serra.

— Oui, un peu.

— Jeremy était le chouchou de la ville. Ce n'est pas mon cas. Avez-vous honte d'être vue avec moi ?

— Ce n'est pas de la honte, dit-elle, se dérobant. Je me serais sentie embarrassée avec n'importe qui.

Il étudia le visage d'Elizabeth un long moment. Sur ses propres traits si virils se lisait une détermination implacable. Puis il fit volte-face et s'éloigna.

— Jed !

Sa prière chuchotée le suppliait de comprendre.

Sans se retourner, il s'arrêta devant Amy. Elizabeth le remarqua, son profil s'adoucit tandis qu'il examinait l'expression curieuse et préoccupée de sa nièce.

— Ta mère est une prude, Amy.

— Est-ce mal ? s'inquiéta la petite fille.

— Non, ce n'est pas mal.

Il lança alors un bref coup d'œil à Elizabeth et ajouta :

— Je reviendrai pour le dîner.

Il sortit de la cuisine par la porte du fond.

7

— C'est tout, madame Carrel ?

L'employée fit une pause avant de totaliser les achats sur la caisse enregistreuse.

— Oui, merci, répondit Elizabeth, regardant autour d'elle d'un air absent pour s'assurer qu'Amy était toujours à ses côtés.

— C'est une vraie corvée de préparer les enfants pour l'école, de nos jours. La liste de leurs fournitures ne cesse de s'allonger, soupira la caissière.

— Je crois que pour Amy, c'est terminé.

Elizabeth, souriant, prit le plus petit des deux paquets et le confia à sa fille.

L'employée sourit à Amy.

— Prête pour la rentrée des classes ?

— Je suppose, dit-elle en haussant les épaules.

— Je te croyais impatiente de retourner à l'école ? dit Elizabeth surprise.

— Pas depuis le retour d'oncle Jed. On s'amuse beaucoup plus à la maison, maintenant qu'il est là.

— Les oncles sont d'habitude plus amusants que l'école, acquiesça l'employée, lançant à Elizabeth un regard amusé.

— Jed est drôle. Il fait même rire Maman, affirma Amy.

Un autre client s'approcha de la caisse de sortie. Soulagée, Elizabeth entraîna sa fille un peu trop bavarde vers la sortie. Elle ne se faisait aucune illusion : toute la ville devait être au courant de l'incident dont le trio du Club Littéraire avait été témoin.

Elle laissa échapper un léger soupir de frustration, tandis qu'elle quittait le magasin avec Amy. En vérité, elle avait cru que Jed chercherait à provoquer une nouvelle rencontre, mais pendant le week-end à aucun moment il n'avait laissé percevoir le désir de se trouver seul avec elle. Il s'était montré charmant et drôle, comme l'avait fait remarquer Amy, mais il avait aussi évité toute occasion de tête-à-tête.

— Bonjour, Elizabeth. Décidément nous sommes destinés à nous rencontrer sur les trottoirs de Carrelville.

Fixant l'homme qui venait de s'arrêter devant elle, Elizabeth s'aperçut qu'elle n'avait même pas vu arriver Allan.

— Je vois que vous avez fait quelques emplettes.

— Nous avons acheté tout le nécessaire pour la rentrée des classes, expliqua-t-elle.

— C'est pour bientôt, en effet, acquiesça Allan.

Il adressa cette remarque à Amy, mais elle les regardait distraitement, ne portant de toute évidence aucun intérêt à la conversation. Il y avait une nuance de mécontentement dans le sourire d'Allan. Elizabeth comprit qu'il était agacé par l'attitude d'Amy... attitude qu'en ce moment même elle partageait, mais que sa politesse naturelle empêchait de manifester.

— J'allais prendre un café. Que diriez-vous de me tenir compagnie toutes les deux ?

— Je ne suis pas assez grande pour en boire.

— Eh bien veux-tu du lait avec des beignets ? suggéra Allan, dont la patience paraissait s'épuiser.

Elizabeth s'était apprêtée à refuser poliment, mais elle se retint. Elle n'était pas plus enthousiaste qu'Amy à l'idée de prendre le café avec Allan, mais la mauvaise humeur d'Amy avait été grossièrement blessante. Allan s'était toujours montré gentil et prévenant. Il ne méritait pas ce genre de traitement.

— Cela me paraît une excellente idée, accepta-t-elle avec chaleur, jetant un regard d'avertissement à sa fille qui ouvrait déjà la bouche pour protester.

La petite fille rentra le menton dans son cou et fixa le trottoir d'un regard mauvais.

— La voiture est garée juste en face, de l'autre côté de la rue. Nous allons y porter nos paquets et nous vous rejoignons.

— Laissez-moi vous aider, offrit Allan.

— Ce n'est pas lourd du tout, assura Elizabeth.

Mais il leur emboîta le pas, comme s'il voulait être certain qu'elles ne changeraient pas d'avis en arrivant à leur voiture.

Au carrefour, ils attendirent le feu vert. Elizabeth posa une question polie à Allan à propos de l'hôpital et écouta à peine sa réponse. De l'autre côté de la rue, de larges épaules lui parurent douloureusement familières : Jed. Une seconde plus tard, Elizabeth reconnut Barbara, le bras passé sous celui de Jed et se serrant tout contre lui, tandis qu'ils descendaient la rue vers le carrefour.

Un coup de poignard lui transperça le cœur. La jalousie lui avait toujours été étrangère. Maintenant elle subissait sa torturante emprise et ses effets dévastateurs. Elle tenta de ravaler la boule qui lui serrait la gorge jusqu'à la nausée — en vain —. Vois-tu ?... chuchotait à son oreille une voix venimeuse. Le vois-tu accepter les attentions comme si elles lui étaient dûes ? C'est ce qu'il veut de toi. Il voudrait t'ajouter à sa collection de conquêtes. Quand il aura réussi à obtenir ta reddition, crois-tu qu'il t'épousera ?

— Regarde, Maman ! cria Amy tout excitée. Voilà oncle Jed !

Se détournant de la blonde jeune femme collée à ses côtés, Jed les vit. Son front se plissa de mécontentement, et son visage s'assombrit. Des larmes d'irritation et d'humiliation embuèrent les yeux d'Elizabeth. Elle avait le droit de se trouver en ville tout autant que lui, se dit-elle amèrement.

Les feux du carrefour changèrent.

La tête haute, elle s'avança pour traverser, mais le voile humide des pleurs accumulés dans ses yeux verts avait affaibli sa vue. Elle sous-estima la distance qui séparait le trottoir de la chaussée et trébucha. Pour tenter d'enrayer sa chute elle laissa échapper les paquets qui jaillirent en tous sens de ses bras. Elle poussa un cri. Allan se précipita pour lui porter secours.

Etourdie par le choc, le souffle coupé, elle resta quelques secondes étendue sur la chaussée sans bouger, s'efforçant de reprendre ses esprits. Elle sourit faiblement à Allan qui se penchait anxieusement sur elle et se dressa sur son séant.

— Vous n'avez rien?

Les sourcils froncés, il examinait rapidement l'écorchure sur son coude.

Elizabeth secoua la tête, incapable de dire un mot sous l'effet du heurt et de la rage. Sa chute n'était pas passée inaperçue des passants, qui s'étaient agglutinés autour d'elle en un cercle étroit.

— Reculez-vous! Donnez-lui un peu d'air! commanda d'un ton impératif une voix familière.

Tous obéirent. Jed se fraya un chemin jusqu'à elle. Elizabeth essuya avec soin la poussière de sa jupe violette, évitant de croiser le regard aigu de ses yeux dorés. Son cœur battit la chamade lorsqu'il s'agenouilla près d'elle.

— Etes-vous blessée, Liza?

— Je... je n'ai rien, murmura-t-elle.

Jed s'était emparé de son bras au coude écorché, et elle essayait de se dégager.

— Elle est tombée, expliqua Amy.

— Je le vois, rétorqua Jed, ne tenant aucun compte d'Allan qui se poussa de côté, totalement débordé par la ferme autorité qui émanait du nouvel arrivant.

— Vous êtes-vous foulé la cheville ?

Ses doigts exploraient habilement l'espace musculaire à la base du tibia.

— Je suis docteur en médecine, même si je ne pratique pas, intervint abruptement Allan, dans un dernier effort pour réaffirmer son rôle de sauveteur d'Elizabeth.

— Et moi, j'ai probablement traité plus de blessés et de malades que vous, répondit Jed d'un ton brusque.

S'étant assuré qu'il n'y avait aucun signe d'entorse, Jed passa un bras autour de la taille d'Elizabeth.

— Nous allons vous remettre sur vos jambes.

— Cela ira, répéta Elizabeth.

— Pour l'amour du ciel, Jed, elle n'a rien de cassé, interrompit Barbara. Allan peut prendre soin d'elle.

Jed ne parut même pas l'entendre. Il soutint Elizabeth pour l'aider à se redresser. Un vertige la saisit. Etait-il dû à sa chute, ou à cette ceinture d'acier qui la retenait prisonnière contre les hanches minces de Jed et ses cuisses musclées ? L'hostilité malveillante qu'elle lisait dans les yeux froids de Barbara la fit chanceler vers lui en quête de protection. Les bras se resserrèrent autour d'elle.

— Je vais vous porter jusqu'à la voiture, dit-il, glissant un bras sous ses jambes et la soulevant aisément.

Malheureusement pour un homme qui se tenait au dernier rang de la foule, le bourdonnement confus des commentaires indistincts cessa, au moment précis où il murmurait à son voisin :

— Je parie qu'il l'a portée en d'autres lieux plus douillets et plus intimes.

Les traits de Jed se figèrent d'un coup, et ses yeux d'or fauve, dont les pupilles se rétrécirent, se mirent à briller dangereusement. Infailliblement son regard vint se poser sur l'auteur de l'insultante remarque. Sa mâchoire se contracta et prit une expression implacable, menaçante. Elizabeth ne put maîtriser un frisson quand il la reposa doucement à terre.

— Vous devez des excuses à cette dame, Mick, je crois, dit-il avec une douceur inquiétante.

— Je ne le disais pas sérieusement, Jed.

Le personnage dénommé Mick se balançait d'un pied sur l'autre, mal à l'aise, tandis que la foule s'écartait pour les laisser face à face.

L'air crépitait, une électricité invisible faisait crisser les nerfs tendus à craquer. Le bras que Jed maintenait autour de la taille d'Elizabeth était un cercle de fer qui la suffoquait. Il ne fléchirait pas tant que Mick n'aurait pas demandé pardon pour son offense.

— Je vous en prie.

Jed n'accordant aucune attention à l'appel d'Elizabeth, elle se tourna vers Mick.

— Vous n'avez pas besoin de vous excuser, insiste-t-elle avec une tranquille fierté. Vous énonciez tout haut ce que chacun pense en ville. Je ne puis m'attendre à ce que vous soyez le seul à présenter des excuses.

— Je vous exprime mes regrets, madame Carrel. Son regard glissa d'Elizabeth à Jed, puis il s'effaça.

— Voici vos paquets, madame Carrel.

Un autre membre du groupe s'avança pour lui remettre les cartons tombés sur la chaussée.

Jed s'en empara avant qu'Elizabeth ait pu faire un geste, et en confia un à Amy.

— Tu es assez grande pour le porter.

Il garda l'autre, tout en maintenant son bras fermement enlacé autour d'Elizabeth. Elle ne pouvait guère protester sans provoquer de nouveaux commentaires. De plus, elle accueillait son robuste appui sans déplaisir.

— Elizsabeth, laissez-moi vous emmener à l'hôpital, offrit Allan d'une voix tranquille. Toutes ces écorchures devraient être nettoyées et désinfectées.

La foule avait commencé à s'éclaircir, l'excitation était tombée. La douleur cuisante de ses coudes égratignés s'accentuait, mais Elizabeth avait un seul désir : partir le plus vite possible.

— Ce n'est vraiment pas nécessaire, refusa-t-elle.
— Je m'en occuperai, dit Jed fermement.
— Et moi ? demanda Barbara.
— Je vous verrai plus tard.

Les feux venaient de changer et Jed pressait Amy de traverser la rue pour retourner à la voiture, sans se préoccuper le moins du monde des protestations indignées de Barbara.

— Je pourrais ne pas être libre, répliqua-t-elle avec hauteur.

A part une grimace cynique, Jed ne réagit pas. Il ne prenait pas Barbara au sérieux, pensa secrètement Elizabeth, lorsqu'elle osait se prétendre prête à le rejeter. Or il fallait bien admettre, à contrecœur, qu'il avait raison. Bien peu de femmes ne l'auraient pas repris...

— Eh bien, vous avez réussi cette fois, petite demoiselle diplomate, dit Jed d'un ton coupant en claquant la portière. Où sont les clés ?

Elizabeth fouilla nerveusement dans son sac et les lui tendit. Blottie dans son siège, elle entendit le moteur démarrer vivement, grondant de toute la force réprimée du conducteur.

— Je n'ai rien fait de mal, dit-elle sur la défensive. A moins, ajouta-t-elle d'un ton de défi, que vous ne trouviez mal de faire l'économie d'une bataille ?

— Que cela vous plaise ou non, vous avez maintenant une étiquette sur le dos : vous êtes *ma* propriété.

Amy se pencha en avant par-dessus le siège d'Elizabeth.

— Qu'est-ce que cela veut dire ?

Mais Elizabeth préféra ignorer la question.

— Quand cela serait, la responsabilité en incombe tout autant à vos actes, répliqua-t-elle à Jed.

— Parce que j'ai décidé de m'offenser en votre nom des remarques de cet énergumène ? dit Jed ironiquement, levant brièvement un sourcil dans sa direction. Ne vous est-il pas venu à l'esprit que j'ai défendu votre « bonne réputation » — il prononça ces derniers mots d'un ton nettement sarcastique — en ma qualité de beau-frère et non de...

Il jeta un regard sur la banquette arrière, vit l'expression d'intérêt dans les yeux écarquillés d'Amy, et ne finit pas la phrase.

— Qu'est-ce que cela veut dire, Maman ? Comment peux-tu être la propriété d'oncle Jed ? Je croyais que l'on ne pouvait pas posséder une personne, persista Amy.

— On ne le peut pas en effet, répondit Elizabeth, dont la patience était mise à rude épreuve.

— C'est comme lorsqu'on sort ensemble, expliqua cette fois Jed, du même ton égal. Quand on dit qu'un homme et une femme sortent ensemble, cela signifie que ni l'un ni l'autre ne sont supposés sortir avec d'autres.

— Maman ne peut pas sortir avec d'autres que toi ? Même pas avec M. Marsden ?

— Exactement, souligna Jed avec force.

— Tant mieux ! déclara Amy qui secoua vigoureusement la tête avec satisfaction. Je ne l'aime pas beaucoup.

— Amy ! s'exclama Elizabeth, par un réflexe automatique.

Mais Jed avait renversé la tête en arrière, et il riait d'un rire sonore qui fut bientôt contagieux, jouant d'abord sur les commissures des lèvres d'Elizabeth puis éclatant franchement.

— Oh, Amy ! Tu es un trésor ! Remettons d'abord en état le bras de ta mère, et voyons ensuite si nous pouvons persuader ta grand-mère de déjeuner dans le jardin.

— Comme un pique-nique ? Génial ! acquiesça Amy. Mais grand-mère déteste manger dehors. Il y a trop d'insectes.

108

Elizabeth souriait toujours.

— Pas d'inquiétude à avoir. Ta grand-mère ne sera pas ici pour déjeuner. C'est...

Elle prit soudain un air consterné.

— Amy ! C'est jeudi ! Ta leçon de piano !

— Oh, Maman, non ! gémit Amy.

— Voyons, Liza !

Jed stoppa le moteur et se tourna vers Elizabeth. Il était difficile de rester insensible à l'éclat persuasif de ses yeux.

— Quelle est l'importance d'une leçon de piano, dans toute une vie de leçons de piano ?

Il la grondait gentiment.

— Appelez son professeur et dites-lui que la voiture refuse de démarrer.

— Et si nous mangions plus tard, après ta leçon ? suggéra Elizabeth. Tu peux te dispenser de faire tes gammes pour une fois et nous aurons tout de même notre déjeuner dehors.

— Il y a une autre solution, proposa Jed. Pourquoi ne laissez-vous pas Amy faire ses exercices pendant une demi-heure, le temps que vous prépariez le pique-nique, et sécher sa leçon ?

— S'il te plaît, maman, ne serait-ce pas aussi bien ?

— Eh bien soit, concéda en fin de compte Elizabeth, qui se sentit réconfortée par le clin d'œil admiratif que venait de lui adresser Jed.

Le hurlement de joie d'Amy força Elizabeth à lui rappeler qu'elle avait mis une condition :

— D'accord : mais seulement si tu t'exerces pendant une demi-heure.

— Bien sûr ! promit Amy ardemment, ouvrant la portière et sautant de la voiture. Je vais commencer tout de suite.

— On dirait que je lui ai donné la lune ! dit Elizabeth avec un sourire mélancolique, en regardant s'éloigner sa fille.

— Faire l'école buissonnière est toujours une joie, même si on a la permission.

Elizabeth trouva son sourire nonchalant extrêmement séduisant, tandis qu'il lui emboîtait le pas.

— J'ai entendu dire que vous étiez un expert en la matière, dit-elle en le taquinant.

— J'ai probablement été aussi souvent absent que présent, admit-il avec un clin d'œil. Absolument incorrigible, disait de moi le surveillant général. Je n'en suis pas vraiment fier, mais j'ai sans doute appris plus tôt que la plupart comment adapter l'enseignement de l'école aux réalités de la vie.

— Je me rappelle, murmura Elizabeth, à qui ce souvenir revint comme un éclair, ce que votre père nous a dit un jour de vous. Il affirmait que vous aviez un cerveau analytique et logique, et que vous auriez pu devenir un brillant juriste si vous n'étiez pas si...

Elle hésita.

— Incorrigible, compléta-t-il d'un ton moqueur. Quand a-t-il bien voulu admettre que je n'étais peut-être pas complètement dénué d'intelligence ?

— Peu de temps après la mort de Jeremy. Je crois qu'il espérait réellement vous voir revenir à ce moment-là.

— Revenir... à son style de vie, dit-il amèrement. Allons, il faut nettoyer les plaies de votre bras.

— Il croyait agir pour votre bien, murmura-t-elle, j'en suis certaine.

— Je ne mets pas en doute sa bonne volonté. Il y a longtemps que je lui ai pardonné ses intentions. Malheureusement il ne m'a jamais pardonné, lui, d'avoir choisi mon propre style de vie.

L'instant d'après, Elizabeth poussa un cri : un antiseptique brûlait l'écorchure de son coude. Pendant que Jed allait se rafraîchir, Elizabeth téléphona à Mme Banks, le professeur de piano d'Amy, qui accepta ses explications sans difficulté.

Son travail à la cuisine lui avait toujours apporté des

satisfactions, mais elle prit un plaisir tout particulier à préparer le repas de midi juste pour eux trois. Lorsqu'elle entrevit à travers les rideaux la silhouette de Jed dans le patio, elle le comprit : elle voulait qu'il en fût ainsi pour toujours.

Elle fut effrayée par l'intensité de son amour pour l'homme mince et viril qui se tenait là, si près d'elle. Elle s'était aventurée en eau très profonde, c'était vrai. Pour le moment, Jed la tenait fortement contre lui. Mais que ferait-elle si jamais il lâchait prise ? Avec Jeremy, elle avait seulement pataugé là où elle avait pied. Aujourd'hui, les vagues la recouvraient tout entière.

Elizabeth s'éloigna de la fenêtre, luttant contre la panique qui avait failli la jeter dans les bras de Jed pour y chercher une réponse rassurante à la question qui l'obsédait : le sentiment qu'il éprouvait pour elle allait-il au-delà de la simple attirance physique ? Le souvenir de sa douleur déchirante de la matinée lui revint à l'esprit, lancinant : cette jalousie qui lui avait rongé le cœur et donné la nausée en le voyant avec Barbara.

Elle eut du mal à retrouver la sensation de bonheur des minutes précédentes. Tendue, elle attendit tout le long du repas le moment où Jed annoncerait son départ. Pendant qu'elle desservait, Amy le persuada de faire une partie de croquet. Elizabeth sentait instinctivement que, par-delà ses rires et les propos taquins échangés avec la petite fille, il pensait à quelque chose où à quelqu'un d'autre. Pure imagination ? Il était difficile de le savoir.

La partie était terminée, et Jed vainqueur, quand Elizabeth eut fini la vaisselle. Retournant au jardin elle apporta un grand pichet de citronnade fraîche. Jed venait de s'enfoncer dans l'une des chaises longues quand il la vit.

— Vous lisez dans mes pensées... Nous allons faire un sort à toute la cruche avant la fin de l'après-midi. Il va faire chaud.

Elle affermit sa main tremblante et lui versa à boire.

— Et Barbara ?

Elizabeth s'efforçait de paraître désinvolte.

— Quel est le problème ?

— Ne vous attend-elle pas cet après-midi ?

— Il n'y avait rien de précis. D'ailleurs il fait trop chaud pour jouer au tennis cet après-midi.

— C'est ce que vous alliez faire ?

— Que pensiez-vous donc ? dit Jed moqueur.

Elle baissa les yeux, et il l'examina à travers son verre. Elle ne croyait pas réellement à l'intention de Barbara de jouer au tennis tout l'après-midi ; certainement pas si elle avait Jed pour seul partenaire.

— Il me semble avoir décelé il y a un instant, dans vos beaux yeux, une nuance verdâtre de jalousie.

— Vous... vous devez l'avoir imaginée.

— C'est dommage.

Jed ferma les yeux, le visage tourné vers le soleil, une expression amusée jouant aux coins de sa bouche.

— Je croyais avoir rendu parfaitement claire mon attirance pour la compagnie de la jeune veuve Carrel et de sa fille, de préférence aux séductions de son amie. J'espérais, comme un idiot, la voir descendre suffisamment de son piédestal pour admettre qu'elle désirait la mienne.

Elizabeth ramena vivement vers Jed le regard qu'elle avait maintenu si longtemps détourné. Elle craignait qu'il se moquât d'elle une fois de plus.

Lentement, les cils bruns et recourbés se levèrent, et le regard aux énigmatiques reflets d'or vint se fixer sur le visage anxieux de la jeune femme.

— C'est vrai, Liza, dit-il d'un ton égal et naturel.

Le cœur d'Elizabeth battit plus vite.

— Pourquoi ? demanda-t-elle dans un souffle, redoutant toujours qu'il joue avec ses émotions.

— A votre avis ?...

La réponse de Jed en forme de question fut prononcée d'une voix rauque, bouleversante.

— Faisons encore une partie de croquet !

Amy bondit entre leurs chaises, brisant le charme qui tenait Elizabeth envoûtée.

— Une partie, dit Jed, capitulant.

Amy était enchantée de disposer ainsi de sa mère et de son oncle pour tout l'après-midi. Sa constante présence rendait impossible toute reprise de la conversation intime : Elizabeth ne savait pas si elle devait le regretter ou s'en réjouir. Elle n'en saurait jamais plus sur Jed qu'il ne voudrait lui en dire. Tandis qu'elle... ses sentiments étaient-ils si flagrants, si transparents ?

Dans l'atmosphère d'incertitude où elle se trouvait aujourd'hui, Elizabeth ne pouvait se rappeler sans ironie son état d'âme quand elle avait rencontré Jeremy.

Comme elle était naïvement confiante à cette époque ! Dès le premier regard elle avait décidé de l'épouser. Avait-elle jamais été amoureuse ? Elle n'était alors qu'une jeune fille à la recherche des fantasmes de l'amour. Aujourd'hui elle était enfin mûre, et le regard dont elle enveloppait Jed était celui d'une femme, tout entière enchaînée par un amour adulte et profond.

Elle se laissait emporter par son imagination, se dit-elle en s'adressant mentalement des remontrances. La journée était magnifique. Elle devrait en profiter, au lieu d'être constamment dans l'attente de quelque désastre imminent.

— Pourquoi ce front soucieux ?

Jed inclina la tête d'un air interrogateur, ses épais cheveux bruns brillant au soleil de l'après-midi. Sans attendre de réponse, il jeta un coup d'œil vers la maison.

— Mère est rentrée, soupira-t-il. Comme elle sait donner des complexes à tout son monde !

Elizabeth se tourna vers Rebecca qui franchissait les grandes baies vitrées du salon.

— Ah, vous voilà ! Il fait terriblement chaud ici, n'est-ce pas ? dit-elle en venant vers eux.

Elle les regarda d'un air sombre, et fit un bref signe de la tête en réponse à leur salut.

— J'ai appris que vous aviez eu un léger accident

aujourd'hui, Elizabeth. Heureusement que Jed s'est trouvé là pour prendre soin de vous, ajouta-t-elle, jetant à son fils un regard aigu.

Répondant au défi silencieux de sa mère, les yeux de Jed lancèrent des flammes d'or fauve.

— Si je n'avais pas été là, il y avait abondance de volontaires prêts à lui venir en aide.

— Eh bien, du moins n'avez-vous pas l'air de vous ressentir de cette mésaventure. Puis-je vous être de quelque utilité pour le dîner de ce soir ?

— Non, refusa froidement Elizabeth. J'allais mettre un rôti au four. Je... je vais le faire tout de suite.

Elle était presque arrivée quand elle entendit un bruit de pas derrière elle. Leur rythme puissant et tranquille ne pouvait appartenir qu'à Jed. Elle se retourna, essayant de dissiper le malaise provoqué par l'arrivée de Rebecca.

— Je voulais vous dire... commença-t-il.

Il s'avança vers elle et referma les baies vitrées.

— Je ne dînerai pas ici ce soir.

— Bien sûr, dit-elle, la voix soudain glacée par le froid qui pétrifiait son cœur.

Il n'avait pas vu Barbara cet après-midi : il avait l'intention de la voir ce soir.

— Bien sûr ?

Un pli curieux, amusé, creusa son front.

— Pourquoi dites-vous « bien sûr » ?

— C'est sans signification particulière, mentit Elizabeth. Une simple constatation.

— Comme vous voudrez, Liza, dit-il avec un sourire moqueur.

Il se dirigea vers l'escalier.

Comme elle détestait Barbara en cet instant ! Elle lui aurait volontiers arraché les yeux si elle avait été là. Quel horrible sentiment que la jalousie !

8

C'était la deuxième tasse de café qu'elle laissait refroidir, pensa Elizabeth avec ressentiment, tout en la vidant dans l'évier. Seule l'empêchait de pleurer la colère qu'elle éprouvait d'avoir été assez sotte pour croire à l'intérêt de Jed pour elle.

La veille, il avait annoncé qu'il ne rentrerait pas dîner. Elle était restée éveillée dans son lit jusque bien après minuit, s'apitoyant sur son sort avant de s'assoupir d'un sommeil agité, sans avoir entendu Jed revenir. Pour une bonne raison ! Il n'était pas rentré.

Une fois apaisée la première vague de furieuse jalousie, la crainte naquit. Il pouvait s'être produit un accident. Dans tous ses états, elle avait téléphoné à la police. Mais aucun accident n'avait été signalé. Il restait un seul endroit où il pût se trouver : avec Barbara...

Un coup de sonnette retentit à la porte d'entrée. Qui cela pouvait-il être de si bonne heure ? se demanda-t-elle avec agacement. Quand elle ouvrit la porte, son sourire n'était guère accueillant.

— Freda ?

Elle reconnut avec surprise la jeune femme qui attendait dehors.

— Jed... commença Freda d'une voix hésitante.

Elizabeth se raidit immédiatement.

— Je suis désolée, il n'est pas ici ce matin.

— Je... je le sais bien, dit Freda en bafouillant un

peu, troublée par le ton glacial d'Elizabeth. Il est chez nous.

— Chez vous ? répéta Elizabeth stupéfaite. Je le croyais... Est-il blessé ? Il a eu un accident ?

— Non. J'ai peur qu'il soit malade.

— Oh, mon Dieu, dit Elizabeth à voix basse, couvrant de sa main sa bouche et son menton tremblants.

— Il a dîné avec nous hier soir et s'est endormi sur le canapé. Et un peu plus tard... il ne s'est pas senti bien, expliqua Freda. Il a fait promettre à Kurt de ne pas vous le dire.

— Avez-vous appelé un médecin ?

— Oui, à l'instant.

— Puis-je aller avec vous ? sollicita anxieusement Elizabeth.

— Naturellement.

Freda Reisner fit demi-tour et se hâta d'aller mettre en marche la fourgonnette garée devant la maison.

— Amy ! Amy ! appela Elizabeth.

A sa fille, qui jouait dans une pièce du fond, elle fit part rapidement des raisons de son inquiétude avant de s'engouffrer avec elle dans la voiture. Freda fit marche arrière dans l'allée et fila à vive allure vers la ferme.

La voiture du docteur était déjà là quand elles arrivèrent. Elizabeth la reconnut : c'était celle de leur médecin de famille.

— Où est-il ?

— Dans la chambre à coucher du rez-de-chaussée, deuxième porte à droite dans le hall, indiqua Freda.

— Reste ici avec Freda, Amy, demanda Elizabeth, qui pivota dans la direction désignée par Freda.

Elle marqua une pause sur le seuil de la chambre ouverte et contempla le jeune homme allongé dans le grand lit. Sous le hâle de son visage bronzé transparaissait la coloration blafarde de la maladie. Une sueur de fièvre faisait luire son front et perlait à sa lèvre supérieure ; les yeux fauves étaient clos, mais, pensa-

116

t-elle, par l'effet de la faiblesse plutôt que du sommeil.

Son regard se tourna vers l'homme de haute taille aux épaules voûtées qui venait de prendre le pouls de Jed.

— Comment va-t-il ?

L'appréhension haussait sa voix une note au-dessus d'un murmure.

— Ah ! Elizabeth...

Le docteur sourit avec un calme professionnel.

Au son de la voix d'Elizabeth, Jed remua légèrement. Ses cils palpitèrent et un regard filtra, concentré sur la jeune femme. Le ressentiment se lut à travers le vernis de fièvre qui faisait briller ses yeux pailletés d'or, lorsqu'ils se posèrent sur l'autre homme qui se tenait à son chevet.

Le cœur d'Elizabeth ne battait que pour Jed, hier encore débordant de vitalité, aujourd'hui étendu sans force sur le lit.

— Jed... de quoi souffre-t-il ?

— Son cas est l'un de ceux où j'accepte le diagnostic du patient. Le médecin eut un sourire rassurant, indiquant qu'il n'y avait pas lieu de s'alarmer.

— Il a attrapé un microbe sous les Tropiques, qui provoque, m'a-t-il dit, des accès de fièvre sporadiques. Dans deux ou trois jours ce sera fini. Dans l'intervalle, il sera malade, mais il m'affirme qu'il n'y a pas de séquelles durables.

— Ne devrait-il pas aller à l'hôpital ? suggéra-t-elle, anxieuse, moins convaincue que le médecin de la nature inoffensive du mal.

— Non !

Le faible cri rauque de protestation courroucée venait de Jed.

Le médecin eut un petit rire.

— Comme vous le voyez, il y est très opposé. L'hôpital est archicomble en ce moment et tant que la fièvre reste à des niveaux acceptables, je ne vois pas de raison de l'y faire admettre.

— Est-il transportable ?

Une autre protestation étranglée se fit entendre du côté du lit, mais Elizabeth n'en tint pas compte.

— J'aimerais le ramener à la maison s'il n'y a pas d'inconvénient.

— Il est le bienvenu ici, intervint Kurt.

C'était l'opinion du médecin qui comptait. Elizabeth voulait Jed à la maison pour pouvoir le soigner.

— Cela ne lui ferait probablement pas de mal de le transporter, dit le docteur avec hésitation. Mais si les Reisner consentent à le prendre en charge, il vaudrait mieux qu'il reste ici. Il n'y a pas de raison de risquer des complications.

— Bien entendu.

Elizabeth acceptait son verdict à contrecœur.

Le médecin repoussa la manche de sa veste pour jeter un coup d'œil à sa montre.

— J'ai encore des visites à faire.

Kurt regarda brièvement Elizabeth, puis se tourna vers le médecin :

— Je vous accompagne jusqu'à la porte.

Ainsi laissée discrètement seule dans la pièce avec Jed, Elizabeth ne sut pas très bien ce qu'elle devait dire ou faire. Il avait de nouveau fermé les yeux. Gauchement, elle s'approcha du lit. Elle aurait voulu le toucher, se prouver que ses craintes n'étaient pas justifiées, mais elle redoutait de l'incommoder.

Une bassine d'eau et une serviette étaient posés sur la table à côté du lit. Le plus doucement possible, Elizabeth humecta le linge, le plia en quatre et le plaça sur le front de Jed. Son cœur se serrait à la vue de son mince visage, en apparence au repos mais finement strié de lignes tracées par la souffrance.

Lorsqu'elle enleva le linge pour le tremper à nouveau dans l'eau fraîche, elle vit ses yeux s'ouvrir. Elle essaya de dissimuler sa secrète angoisse par des gestes plus vifs.

— C'est la jeune veuve Carrel qui apaise mon front fiévreux ? dit-il faiblement, d'un ton moqueur.

— Restez tranquille, ordonna-t-elle d'une voix

douce, le regardant fermer les paupières comme elle replaçait sur sa tête la compresse humide.

— Rentrez chez vous, Elizabeth, marmonna Jed froidement. Je n'ai pas besoin de vous.

Il repoussa sa main, mais il n'avait plus la même force.

— Personne ne vous voit. Vous n'avez pas besoin de sauver les apparences.

Calmement Elizabeth reprit sa tâche, feignant de n'avoir pas été profondément heurtée par ses paroles blessantes. Elle ne répondit pas, persévérant dans ses efforts pour le soulager. Jed cessa de protester et sombra dans un sommeil agité.

Des pas tranquilles se firent entendre à l'entrée de la pièce. A leur féminine légèreté, Elizabeth reconnut Freda sans avoir besoin de se retourner.

— Il dort ? demanda Freda.

— A moitié, je crois.

Les coins de sa bouche se relevèrent en un pâle simulacre de sourire, tandis qu'elle posait le linge sur un coin du lavabo.

— Je viens de faire du café. En voulez-vous une tasse ?

— Volontiers.

Amy n'était pas dans la cuisine. Freda lut la question implicite dans le regard d'Elizabeth et répondit :

— Amy est dehors ; elle joue avec les chiots.

Elizabeth se passa nerveusement la main dans les cheveux, ses mèches noires faisant des boucles autour de ses doigts.

— Je suis navrée de vous causer tant de dérangement, Freda.

— Il n'y a aucun dérangement, assura la jeune femme aux cheveux blond foncé, tout en posant sur la table deux grandes tasses de café.

— Jed a été comme un second frère pour Kurt et pour moi, aussi loin que je me rappelle.

— Oui, eh bien, soupira gravement Elizabeth, je

crains qu'il ne soit ici encore pour quelques jours. Le docteur Miles n'a pas l'air de tenir à le déplacer, du moins pour le moment. Jed n'avait pas non plus très envie de bouger.

— C'est normal pour un malade ? dit Freda, prenant gentiment sa défense.

— Tout de même, je souhaiterais...

Elizabeth tourna les yeux vers le couloir et la porte invisible de la chambre de Jed, mais elle ne pouvait trouver les mots pour exprimer son irrésistible désir d'être celle qui le soignerait.

— Elizabeth, commença Freda, puis elle hésita, portant un intérêt excessif au café dans sa tasse. Si vous vouliez rester pour nous aider, j'y serais très sensible. Je veux dire : je dois m'occuper de la maison, faire la cuisine pour Kurt et il y a beaucoup de travail dans le jardin. Vous pourriez dormir dans la chambre d'amis... sauf si vous préférez une autre solution.

— Etes-vous sûre que je ne vous dérangerais pas ?

Elizabeth retint son souffle. Son plus grand désir au monde était de rester avec Jed.

— Ce me serait d'un immense secours, promit Freda.

— J'aimerais rester.

Cette fois le sourire d'Elizabeth était sincère, un mélange de bonheur et de soulagement.

— La chambre d'amis a des lits jumeaux. Il n'y a pas de raison pour qu'Amy ne s'y installe pas aussi.

— Oh, Freda, êtes-vous sûre de vouloir être ainsi envahie par tous ces Carrel ? dit Elizabeth en riant.

— Absolument ! répondit Freda, hochant la tête avec un sourire épanoui. Dès que Kurt sera revenu des champs, vers midi, je lui demanderai de vous conduire chez vous pour prendre vos affaires.

La seule à faire des objections fut Rebecca. Si Jed était assez malade pour avoir besoin des soins d'Elizabeth, selon elle, il l'était suffisamment pour être soigné à l'hôpital. Pour une fois, Elizabeth ne se laissa pas détourner de son projet, même pas lorsque sa belle-mère insista pour garder Amy à la maison avec elle.

Depuis l'arrivée de Jed, Elizabeth s'apercevait qu'elle ne traitait plus sa belle-mère avec le même respect. Certains traits de son caractère avaient commencé à lui déplaire singulièrement.

Amy était enchantée à la perspective de passer peut-être plusieurs jours à la ferme des Reisner. Pour elle c'était un monde nouveau, excitant, et elle avait décidé de l'explorer.

Lorsque Kurt prit connaissance de la suggestion de sa sœur, il fit aussitôt sienne l'invitation. Elizabeth découvrit ainsi combien ses voisins étaient amicaux et chaleureux. Elle eut honte d'avoir fait taire son instinct qui l'aurait portée beaucoup plus tôt à mieux les connaître.

Elle pouvait se passer de l'approbation de sa belle-mère, mais il était plus difficile de passer outre au mécontentement de Jed. Le premier jour, Elizabeth s'assit à plusieurs reprises à son chevet. Il était conscient d'une présence à ses côtés, mais dans l'état de torpeur où il était plongé, l'identité de sa compagne était moins importante que la sensation apaisante d'une compresse froide sur son visage enflammé par la fièvre. Ce fut seulement le soir où elle lui apporta un peu de bouillon de poulet préparé par Freda que Jed la reconnut.

Les mots durs dont il l'accabla lui firent clairement comprendre que s'il en avait eu la force, il l'aurait expulsée de la maison. Elizabeth accepta ses sarcasmes et s'imposa le silence. Son cœur saignait, mais elle tentait de se rassurer en mettant l'attitude de Jed sur le compte de la fièvre.

Il y eut des moments, au cours des deux journées suivantes, où il était complètement lucide. D'autres où il succombait à des accès de délire, marmonnant des bouts de phrases qui n'avaient aucun sens pour Elizabeth. Elle avait l'impression qu'il s'agissait parfois d'épisodes de son enfance, mais le plus souvent du temps qu'il avait passé dans le Pacifique et en Asie du Sud-Est.

Une fois il prononça son nom. Elle avait glissé sa main sous la sienne, et les doigts de Jed s'étaient crispés si fort qu'elle ne pouvait plus les retirer.

— Je suis là, Jed, dit-elle en un murmure douloureux.

— Vous ne devriez pas, répondit-il d'une voix basse et rauque, essayant de soulever ses paupières alourdies par la fièvre. Pourquoi ne vous en allez-vous pas ?

— Chut... vous devez vous reposer.

Elizabeth dut se mordre la lèvre jusqu'au sang pour retenir un sanglot de désespoir.

— Laissez-moi tranquille, soupira Jed, retournant sa tête sur l'oreiller pour ne plus la voir, sans lui lâcher la main.

Il s'agitait fébrilement dans son lit et tout d'un coup s'exclama avec une vigueur inattendue :

— Quelle chaleur infernale ! Personne sur cette île maudite ne possède donc un ventilateur !

Elizabeth comprit que le délire l'avait repris.

— Il est de nouveau dans le cirage ?

La voix de Kurt arracha la jeune femme à sa méditation. Il se tenait à l'entrée de la pièce avec Freda, qui portait du linge propre.

— J'ai pensé pouvoir vous donner un coup de main pour changer les draps.

— Je dois vous prévenir, Kurt, Jed n'est pas très coopératif, l'avertit Elizabeth avec un soupir, tout en dégageant sa main de celle de Jed.

Il le prouva en effet, repoussant les mains qui remplaçaient les draps tachés de sueur par du linge propre, proférant avec violence les pires jurons qui les visaient tous sans exception. A la fin, lorsqu'ils eurent changé et bordé les draps, il parut s'effondrer d'épuisement.

— Il n'est pas exactement le malade modèle, avait dit Freda en soupirant profondément.

— Je suis navrée...

— Ne vous désolez pas, avait insisté Kurt. Vous ne

vous en seriez certainement pas sortie toute seule, et je doute que Madame Carrel vous eût été d'un grand secours.

Elizabeth avait souri, reconnaissant silencieusement la justesse de ses paroles. Elle n'aurait sans doute pas pu manipuler Jed même dans son état d'extrême faiblesse. L'assistance de sa belle-mère aurait été minime, pour ne pas dire inexistante. Rebecca tolérait mal les malades, accomplissant son devoir en leur rendant visite comme elle l'avait fait pour Jed, mais elle ne restait jamais plus longtemps que ne l'exigeaient les convenances.

— Que diriez-vous d'un peu de thé glacé sur la véranda avant d'aller se coucher ? avait suggéré Kurt.

— C'est une excellente idée, avait approuvé Freda. Il y en a tout un broc dans le réfrigérateur. Peux-tu nous en apporter un verre, à Liza et à moi ?

Elle avait adopté le diminutif de Jed pour Elizabeth. Elizabeth ne protesta pas.

Elle s'appuya contre les piliers de bois qui supportaient le toit de la véranda, contemplant le ciel nocturne parsemé d'étoiles.

— Combien de temps croyez-vous que cela dure, Freda ? Le docteur Miles avait dit quelques jours seulement, cela en fait déjà trois.

— Sa fièvre devrait tomber bientôt.

Freda s'était pelotonnée sur la balancelle, repliant les jambes sur elle.

— Vous l'aimez beaucoup, n'est-ce pas ?

Elizabeth se tourna vivement vers Freda, les lèvres ouvertes sur un démenti. Mais elle poussa un soupir.

— Oui, répondit-elle simplement.

Freda n'offrit aucune parole d'espoir, elle ne confia rien de ce que Jed aurait pu dire à Kurt ou elle-même. Si elle l'avait fait, Elizabeth ne l'aurait sans doute pas crue. Personne ne connaissait les véritables sentiments de Jed, pensait-elle. Il n'était pas homme à se livrer à des confidences.

Il y eut un invisible serrement de mains entre Elizabeth et Freda, cimentant l'amitié qui n'avait pas cessé de croître à chaque minute passée ensemble.

Le regard fixé au plafond, Elizabeth attendait que le sommeil s'emparât d'elle, mais son esprit ne se lassait pas de revivre les événements des trois jours écoulés. Agitée, elle martelait son oreiller pour calmer ses nerfs et se retournait sans cesse dans son lit. De temps à autre elle jetait un coup d'œil à sa fille, paisiblement endormie dans le lit voisin. C'était inutile, pensa-t-elle avec accablement. Elle ne réussirait pas à s'endormir tant que les images de Jed se presseraient dans sa tête.

Une robe de chambre ouatinée gisait au pied du lit. Se coulant sans bruit hors des couvertures pour ne pas réveiller Amy, Elizabeth glissa ses pieds dans des pantoufles et ramassa le peignoir. Elle passerait une minute chez Jed pour s'assurer que tout allait bien, décida-t-elle. Ensuite elle se ferait chauffer un peu de lait.

Un rayon de lumière venu de la cour pénétrait dans la chambre de Jed par la fenêtre, éclairant sa longue silhouette qui se tournait et se retournait sans cesse dans le lit. Les couvertures étaient rejetées, dénudant sa vaste poitrine bronzée. Les pantalons de son pyjama bleu paraissaient plus pâles dans la pénombre tandis qu'Elizabeth se hâtait à travers la chambre pour tirer les couvertures et les ramener sur lui. Elle toucha sa peau, qui était brûlante. Allant chercher le linge toujours à sa place sur le lavabo, elle essuya la sueur qui ruisselait sur son visage contracté.

La fièvre atteignait son point culminant. Faisant reposer délicatement la tête de Jed entre ses bras, Elizabeth pressa un verre d'eau contre ses lèvres. Elle laissa couler le liquide goutte à goutte dans sa bouche.

Se fiant à son instinct pour la guider, elle reprit plusieurs fois le même processus, essuyant d'abord la sueur, puis lui faisant avaler de petites gorgées d'eau. Son cœur se déchirait devant son impuissance à faire davantage pour le soulager. Il continuait à gémir et à

124

s'agiter. A répéter sans cesse les mêmes gestes, ses bras commencèrent à lui faire mal, elle eut des élancements dans les muscles. Elle perdit tout sens de la durée. L'idée ne lui vint pas une seule fois de réveiller Freda. Elle ne pensait qu'à Jed.

Elle ne remarqua pas le moment exact où la fièvre tomba. Soudain elle s'aperçut que le visage de Jed s'était détendu. Son corps avait cessé de s'agiter, ses joues minces étaient encore chaudes, mais ce n'était plus l'incendie qui avait brûlé les doigts d'Elizabeth. C'était fini. Elle émit un son tremblant, à mi-chemin entre un soupir et un sanglot, et s'écroula épuisée dans le fauteuil à bascule au chevet de Jed. Elle resterait là quelques minutes, se dit-elle, pour permettre à ses muscles douloureux de se délasser... Et elle s'endormit.

Soudain des douleurs lancinantes lui traversèrent la nuque. Lorsqu'elle voulut bouger, elles lui parcoururent le dos. Elle décida de ne plus faire un mouvement, mais ses muscles raidis ne purent s'en accommoder. Lentement, à regret, Elizabeth ouvrit les yeux, reprenant peu à peu conscience de son environnement.

Le soleil était déjà haut dans le ciel. Il n'y avait plus trace des teintes rose et or de l'aurore. Jed dormait paisiblement, une barbe de trois jours assombrissant son fin profil. Tout reflet blafard avait disparu de son visage, et son front n'était plus moite.

Il était guéri. Elle esquissa un sourire de soulagement. Cambrant le dos pour en chasser la raideur, Elizabeth commença à frotter doucement son cou douloureux, pénible conséquence d'une nuit dont la plus grande partie s'était passée à dormir dans le fauteuil à bascule. Avec un effort, elle se mit debout. Son regard se posa sur le lit. Jed l'observait. Le voile de fièvre s'était dissipé, et ses yeux d'or fauve l'examinaient, attentifs et perçants.

— Personne ne vous a jamais dit que les chaises n'étaient pas faites pour y dormir ?

Les coins de ses lèvres se plissaient cyniquement.

Elizabeth ouvrit la bouche pour protester, son cœur battant violemment, mais la porte de la chambre s'ouvrit, l'empêchant de parler. Freda passa la tête par l'entrebâillement et jeta un coup d'œil étonné sur Elizabeth puis sur Jed. Un vaste sourire éclaira son visage.

— Eh bien, je vois que vous êtes revenu sur terre. Vous devez mourir de faim, Jed. Je vais vous apporter un plateau.

— Ne vous donnez pas cette peine.

Il changea de position et s'étendit sur le dos, son regard alerte quittant nonchalamment Elizabeth pour se fixer sur son hôtesse.

— Elizabeth va s'en charger.

Levant un sourcil, Freda jeta à Jed un regard interrogateur, se tourna vers Elizabeth dont le visage reflétait la stupéfaction et, avec un haussement d'épaules, donna son accord.

Le bruit de la porte qui se refermait mit fin à la confusion d'Elizabeth.

— J'avais prévu de prendre une douche et de me changer, dit-elle d'un ton acerbe, froissée de son ordre dictatorial alors qu'elle avait passé la moitié de la nuit à le soigner.

Son air suffisant ne disparut pas pour autant.

— Je croyais que vous preniez plaisir à ce rôle d'ange de charité.

Avec une aisance déconcertante, Jed abandonna son ton moqueur.

— Combien de temps ai-je perdu conscience ?

— Trois jours.

— Trois jours ?

Il passa la main sur son menton recouvert d'une barbe qui lui racla la paume.

— J'espère que je ne vous ai pas assommée avec les souvenirs de mon affreux passé.

— Vous marmonniez trop indistinctement, répondit Elizabeth calmement et honnêtement. Quand nous pouvions comprendre vos divagations, elles étaient dénuées de sens.

Jed lui jeta un regard voilé et scrutateur, comme s'il cherchait à évaluer le degré de véracité de sa réponse. Elle le lui rendit droit dans les yeux et sans sourciller, sachant à quel point, dans une situation analogue, elle aurait détesté voir ses pensées les plus intimes étalées devant des étrangers à son insu.

— Je me rappelle vous avoir dit de partir. Pourquoi ne l'avez-vous pas fait ?

Son amour pour lui rendait difficile toute réponse sincère. Elle se rabattit sur une demi-vérité.

— Il n'aurait pas été juste de laisser à Freda et à Kurt la totale responsabilité de vous soigner. Après tout ils ont beaucoup de travail.

— Ainsi c'est votre sens du devoir qui vous a fait rester. Très louable, murmura-t-il sèchement.

— J'étais inquiète pour vous ! déclara Elizabeth, avec la colère du désespoir.

— Je suis touché, dit Jed moqueur.

Il étendit la main vers la carafe d'eau sur la table de chevet et faillit la renverser en essayant d'en saisir l'anse.

— Laissez-moi faire, soupira-t-elle, lui reprenant la carafe et remplissant un verre d'eau.

Mue par un réflexe, elle s'assit au bord du lit, d'une main soutint la tête de Jed et de l'autre porta le verre à ses lèvres.

— La prochaine fois que vous subirez une attaque de cette maladie, fulmina-t-elle, encore piquée au vif par ses sarcasmes railleurs qui tournaient en dérision le mal qu'elle s'était donné à le soigner, rappelez-moi d'engager une infirmière à l'épiderme peu sensible. C'est la dernière fois que je veille la moitié de la nuit pour être récompensée par vos insultes et votre ingratitude.

Elle lui arracha le verre des lèvres à la seconde où il fit signe qu'il était désaltéré. Elle voulut se lever d'un bond, mais le bras de Jed lui encercla la taille et il la maintint à son côté.

— Je regrette.

Ses yeux fauves jetaient des étincelles. Il regardait sa bouche rebelle.

— Je n'ai pas dit merci, je crois ?

— Non, en effet.

Son cœur battait à tout rompre à son contact. Ses mains ne parvenaient pas à repousser le bras qui la tenait prisonnière.

— Voilà, vous recommencez ! Vous redevenez hautaine et dédaigneuse exactement comme le jour de mon retour. Je me suis souvent demandé ce que vous redoutiez le plus, ce jour-là : me voir voler les bijoux de famille ou vous enlever.

— Vous aviez l'air d'un vagabond. Comment étais-je supposée réagir ? dit Elizabeth d'un ton détaché, mais vaguement défiant.

— Vous étiez encore toute froide et sophistiquée en ce temps-là, poursuivit Jed, visiblement amusé à ce souvenir. Vous faisiez claquer vos ordres et vous distribuiez les avertissements avec tout l'orgueil et l'arrogance d'une vraie Carrel. La splendide et fragile créature aux yeux verts semblait avoir disparu, celle dont je me souvenais, intimidée par le seul nom des Carrel, qui avait peur de n'être pas assez bonne pour leur fils préféré. C'est probablement pourquoi je me suis attaché à gratter la surface, cherchant des traces de la jeune fille que j'avais connue. Votre vernis de sophistication est très mince, Liza.

— Jed !

Sa protestation étouffée jaillit de sa gorge comme il l'attirait sur l'oreiller.

— Vous avez été malade !

Le visage de Jed n'était plus qu'à une distance cruellement tentante.

— Je ne me sens pas malade.

Le souffle tremblant d'Elizabeth le fit sourire.

— Peut-être, en raison de mon état d'affaiblissement, devriez-vous chercher à me faire plaisir...

Les doigts de Jed suivirent le contour du visage d'Elizabeth, son pouce effleura ses lèvres avant qu'il ne pose sa main sur la courbe de son cou. A cet instant Elizabeth en fut certaine : si quelqu'un était en état de moindre résistance, c'était bien elle. Ses défenses, bien faibles déjà, fondaient comme neige au soleil.

— Un homme n'est pas censé le demander, je le sais. Mais verriez-vous une objection à ce que je vous embrasse ?

Jed rapprocha sa tête de la sienne, marquant une pause à portée de ses lèvres.

— Non.

C'était presque un gémissement.

— Vous avez toujours protesté, murmura-t-il tout contre sa bouche. Cette fois je voulais que vous le désiriez autant que moi.

Mais il la taquina de baisers légers, presque aériens jusqu'à ce que les lèvres d'Elizabeth palpitent du besoin d'être possédées. Elle passa un bras autour de son cou, essayant de l'attirer à elle, mais il se maintint facilement à distance.

— Je ne comprends pas, chuchota douloureusement la jeune femme.

La barbe de Jed racla la joue d'Elizabeth puis sa gorge tandis qu'il effleurait des lèvres les parties les plus sensibles de son cou, faisant descendre en spirale des frissons voluptueux le long de son dos. Il glissa la main dans l'ouverture de son peignoir, caressant sa taille et ses hanches à travers le mince tissu de sa chemise de nuit.

— Je vous en prie, Jed, supplia-t-elle sans honte, ne me tourmentez pas ainsi.

— Je me demande si vous connaissez la signification de ce mot, murmura-t-il.

Elizabeth sentit une morsure au lobe de l'oreille qui lui arracha un cri de douleur mêlé de plaisir. Mais elle eut gain de cause et il releva la tête, ses yeux noisette et or se fixant sur ses lèvres tremblantes.

Les secondes s'écoulèrent de nouveau tandis qu'il attendait, délibérément. Le gémissement qui échappa aux lèvres d'Elizabeth lorsque enfin il les prit était involontaire, le signe instinctif de la plénitude de sa soumission. Le baiser fut profond et complet : la technique sensuelle de Jed était sans faille.

Le violent incendie qu'il avait allumé dans les veines d'Elizabeth lui faisait paraître tout contact d'un autre homme comme un misérable feu de paille. Insatiable était son désir de lui.

Quand il s'écarta, elle se courba vers lui. Il restait hors de portée, la provoquant, la taquinant sans relâche. Son cœur cognait aussi follement que celui d'Elizabeth : elle pouvait le sentir sous la paume de sa main posée sur sa poitrine.

— Vous êtes-vous fait du souci à mon sujet ? demanda-t-il d'une voix rauque.

— Vous le savez bien, murmura-t-elle.

Il la repoussa contre l'oreiller, l'y maintenant de tout le poids de son corps.

— Pourquoi vous soucier de moi ?

— Parce que…

Elle tentait maladroitement d'éluder la question.

— Pourquoi ? persista Jed d'un ton brusque.

Il sentait les inhibitions de la jeune femme fondre à son contact. Comme elle ne répondait toujours pas, ses doigts s'enfoncèrent dans ses épaules.

— Dites-le ! dit-il brutalement.

Les yeux d'Elizabeth brillèrent des larmes qu'elle ne pourrait retenir indéfiniment.

— Parce que, dit-elle d'une voix frémissante, parce que je t'aime, Jed. Je t'aime.

Un éclair de triomphe traversa le regard de l'homme. Avec une passion avide il pressa ses lèvres sur celles d'Elizabeth et toutes pensées s'effacèrent. Jusqu'alors elle n'avait éprouvé que la chaleur superficielle de son

130

corps viril. Maintenant la brûlante ardeur de ses fougueux baisers la consumait tout entière. Même le jour où elle avait enfin compris à quel point Jed pouvait la troubler profondément, elle n'avait pas rêvé de connaître un jour cette explosion de joie.

9

— Peut-on te considérer comme guéri, Jed ?

La voix sarcastique et méprisante leur fit l'effet d'un sifflement de serpent. La langue qui crachait du venin mit une fin abrupte au baiser qui s'était peu à peu transformé en une étreinte passionnée. Elizabeth, le visage rouge, se releva non sans effort, nouant rapidement le cordon de sa robe de chambre tandis que Jed se remettait sur le dos, à peine troublé par l'interruption.

— Vous avez le don d'arriver à propos, mère, murmura-t-il sèchement.

Que Rebecca Carrel fût profondément outrée se lisait sur ses traits dédaigneux, mais elle maîtrisait ses émotions aussi bien que son fils. Elle darda sur Elizabeth un regard acéré, qui manifestait du dégoût pour sa conduite inconvenante.

— C'est une affaire d'opinion, Jed, dit-elle froidement. Tu me parais très bien portant. Je ne vois pas pourquoi tu aurais besoin plus longtemps des soins d'Elizabeth. Nous pouvons mettre fin à toute cette comédie.

— Elle allait me préparer le petit déjeuner, dit-il avec un sourire plein d'humour.

— Ce n'est pas une domestique, dit Rebecca. Fais-toi donc servir ce repas par la fermière.

Froissée, Elizabeth se raidit.

— Freda a d'autres choses à faire. Si vous voulez bien m'excuser, je vais m'en occuper.

— Puisque vous sortez, vous feriez bien d'aller voir un peu où est votre fille, fut la réponse hargneuse. Quand je suis arrivée, elle jouait avec ces petits chiens crasseux, qui grimpaient sur elle et mettaient leurs pattes partout. Elle avait l'air aussi sale qu'un petit mendiant.

— Un peu de boue ne lui fera pas de mal ! rétorqua Elizabeth.

— Peut-être avez-vous oublié sa leçon de piano de ce matin. Elle a déjà manqué la précédente, pour... des raisons inexpliquées.

— Pour des raisons personnelles. Et c'est moi qui déciderai s'il est essentiel ou non qu'Amy prenne sa leçon aujourd'hui.

— Je ne vois pas quelle excuse vous pourriez donner à madame Banks. Puisque Jed est rétabli...

— Comme c'est moi qui paie les leçons, j'ignorais avoir besoin d'une excuse !

Elizabeth tremblait d'une colère sans retenue quand elle sortit de la chambre et claqua la porte derrière elle.

Elle ne se rappelait pas avoir jamais tenu ainsi tête à sa belle-mère, en tout cas pas avec cette insolence. Le seul pincement de remords qu'elle éprouvait, c'était d'avoir perdu son sang-froid, non d'avoir prononcé ces paroles.

Freda avait laissé un mot sur la table de la cuisine, informant Elizabeth qu'elle était dans le jardin. Doutant que l'estomac de Jed pût absorber du premier coup des aliments solides, Elizabeth prépara un bol de céréales chaudes, du pain grillé et du cacao. Elle lui apporta le tout sur un plateau.

Elle le déposa sur les genoux du convalescent et s'approcha silencieusement de la fenêtre. Il paraissait incroyable que seulement quelques minutes plus tôt elle ait pu se trouver dans ses bras, chaque souffle étant un témoignage d'amour.

Jed lui avait tout juste lancé un regard quand elle était entrée, de nouveau distant, renfermé dans cette réserve hermétique.

— Vous êtes bien silencieuse tout à coup, observa-t-il.

— Je n'ai plus rien à dire, répondit Elizabeth en haussant les épaules.

— Vous devriez avoir le temps de faire votre valise avant la leçon d'Amy. Freda peut vous conduire à la maison, ou même jusqu'en ville si vous préférez.

— C'est ce que vous voulez ? Que je m'en aille ? demanda-t-elle d'une voix étranglée où se mêlaient raideur et fierté.

— Non, mais j'accepte de m'en contenter, répliqua-t-il d'une voix égale.

— Que désirez-vous ?

— Je croyais l'avoir fait comprendre clairement. C'est toi que je veux.

Il ne disait pas « je t'aime » ou « je veux t'épouser », mais simplement « je te veux » comme si elle était un bien longtemps convoité et qu'il entendait posséder.

— Je vais faire ma valise...

— Liza ? Qu'y a-t-il ? demanda Jed comme elle se dirigeait vers la porte. Liza !

Il l'appela de nouveau, avec colère cette fois, parce qu'elle feignait de ne pas l'entendre.

— Bon sang ! Réponds-moi !

Elle hésita sur le seuil.

— Je suis fatiguée, Jed.

C'était vrai. Toutes ces émotions l'avaient épuisée. Si des larmes glissaient maintenant de ses cils, c'était en réaction la tension nerveuse qui n'avait cessé de croître depuis la nuit dernière. Elle n'alla pas jusqu'à éclater en sanglots, mais il lui fallut beaucoup de temps pour emballer les affaires d'Amy et les siennes : les pleurs embuaient ses yeux.

Plus tard, Freda vint s'excuser de ne pas les avoir

prévenus de l'arrivée de Rebecca, mais Elizabeth la rassura.

— Il n'en est résulté aucun mal. Elle n'a rien interrompu.

Son fragile équilibre n'aurait pas survécu à une autre visite à Jed, aussi laissa-t-elle à Freda le soin de l'informer de son départ. Elle préféra ne pas se faire conduire en ville par la jeune fille. Si elle passait trop de temps avec son amie, sa langue finirait par se délier ; et elle voulait l'éviter par-dessus tout tant qu'elle n'aurait pas eu le temps de réfléchir par elle-même aux événements qui s'étaient déroulés chez les Reisner.

A la minute où, revenant de la leçon d'Amy, elles posèrent le pied dans le vestibule, Elizabeth comprit pourquoi un climat de crainte l'avait enveloppée toute la matinée. Rebecca l'attendait, avec son allure de dame distinguée de la bonne société, sa chevelure d'argent parfaitement mise en plis, et sa robe vieux rose de chez un bon faiseur. L'incident de ce matin n'allait pas rester sans commentaire, c'était clair.

— Il y a des gâteaux secs et du lait dans la cuisine pour toi, Amy. Tu peux faire tes gammes après le goûter.

Rebecca sourit d'un air affable à sa petite-fille. Par simple entêtement, Elizabeth allait donner des ordres en sens contraire lorsqu'elle rencontra les yeux durs, froids et noirs de sa belle-mère. L'affrontement est pour tout de suite, se dit-elle. Il valait mieux qu'il n'eût pas lieu devant Amy.

— J'ai fait servir le café dans le cabinet de travail de Franklin, pour ne pas déranger Amy, dit Rebecca après le départ de la petite.

Les accents sarcastiques et cassants de leur précédente confrontation avaient disparu de sa voix, mais les intonations affables n'abusèrent pas Elizabeth. Elle supporta en silence les prévenances de sa belle-mère, accepta la tasse de café qui lui était offerte, consciente de se prêter à une mise en scène imaginée par Rebecca pour l'occasion.

— Je vous en prie, Rebecca, dit-elle d'un ton égal, dispensons-nous des amabilités. Vous m'avez fait venir ici pour me dire certaines choses, dites-les.

À son tour Rebecca posa sa tasse et feignit d'hésiter un moment.

— Avant toutes choses...

La tête gris argenté se releva pour croiser le regard impassible des yeux verts d'Elizabeth.

— ... Je désire m'excuser pour la façon dont je me suis conduite ce matin. J'avais éprouvé un choc. Il n'a jamais été dans mes intentions de me mêler de votre vie privée ou d'usurper votre autorité sur Amy. J'ai parlé trop vite et sans réfléchir et je le regrette.

— C'est tout ?

— Non...

Rebecca se leva et s'éloigna d'Elizabeth comme si elle était en proie à l'incertitude sur la meilleure façon de poursuivre.

— D'après des rumeurs qui me sont parvenues, vous et Jed... vous intéresseriez l'un à l'autre. Je n'ai jamais douté que Jed vous ferait des avances ; il s'est toujours attaqué au sexe opposé... et avec un succès considérable. Je me suis toujours demandé pourquoi les propres-à-rien de ce monde attirent tellement les femmes.

Rebecca poussa un soupir, puis sourit.

— Peut-être parce qu'à leur naissance ils ont reçu en partage une beauté masculine et un charme viril, qui les dispensent de se servir de leur intelligence ou d'être stimulés par l'ambition. Elles ne leur sont pas nécessaires. Ils obtiennent ce qu'ils veulent sans elles. Jed est dans ce cas. Il exhale un parfum de danger et d'excitation tels qu'avec lui les femmes se sentent délicieusement coupables.

Rebecca revint s'asseoir sur sa chaise en face d'Elizabeth. Elle se pencha en avant, l'air grave, l'anxiété assombrissant encore davantage ses yeux bruns, ses mains jointes devant elle implorant la compréhension.

— Voyez-vous, Elizabeth, c'est pour vous que je m'inquiète, murmura-t-elle avec ferveur. Stupidement, je ne vous ai jamais mise en garde contre Jed. J'aurais dû mieux réfléchir : vous êtes jeune et vous avez besoin de satisfactions physiques.

— Ce n'est pas du désir que j'éprouve pour Jed, Rebecca. C'est de l'amour, dit Elizabeth d'une voix calme. Je n'avais pas l'intention de tomber amoureuse de lui. J'ai moi-même essayé de croire à une simple attirance physique, mais ce n'était pas cela. Je l'aime et je n'en ai pas honte.

A son étonnement, il n'y eut pas de débordement réprobateur, simplement une question posée avec douceur :

— Jed le sait-il ?

— Oui.

— Je vois.

L'aveu ne parut pas surprendre Rebecca.

— Et quels sont vos plans ?

— Il n'y en a pas, répondit Elizabeth.

Et comme elle voyait se dessiner dans le regard de Rebecca un « c'est bien ce que je pensais » inexprimé, elle ajouta pour se défendre :

— Jed a été malade.

— Il va vous demander de partir avec lui.

Ce n'était pas une question, mais une affirmation faite d'un ton assuré.

— Il l'a dit ?

La question jaillit avant qu'Elizabeth pût la retenir.

— Non. C'est plutôt une supposition de ma part, mais je la crois exacte. Quand il le fera, dit-elle en levant les yeux pour contraindre Elizabeth à rencontrer son regard, que ferez-vous ?

— Je partirai avec lui. Je l'aime, Rebecca, dit Elizabeth fermement.

— Je ne prétends pas avoir le moindre droit de vous dicter votre conduite. Vous êtes en âge de prendre vos propres décisions. Mais je dois attirer votre attention sur quelques points. Jed a trente-deux ans. Il n'a ni métier ni travail. Il ne vit nulle part, il ne possède donc pas de maison ou d'appartement, ni même une voiture. Dans son testament, Franklin ne lui a laissé qu'une somme symbolique, il n'a pas non plus d'argent. Je ne veux pas dire que j'estime ces considérations importantes si on aime quelqu'un, se hâta d'ajouter Rebecca en réponse à la colère visible sur le visage d'Elizabeth. Je vous demande d'en tenir compte dans l'intérêt d'Amy, pour son avenir. Vous recevez une allocation mensuelle sur sa dot, mais ce serait une goutte d'eau dans le budget familial. Si profond que soit votre amour pour Jed, vous avez le devoir de penser au bien d'Amy. Réfléchissez-y, Elizabeth, je vous le demande.

Avec un doux sourire, Rebecca se leva et quitta la pièce. Elizabeth, silencieuse, resta assise. Elle n'avait pas répondu, parce qu'il n'y avait aucune réponse à faire. C'était une piètre consolation que de reconnaître le savoir-faire de Rebecca : la substance de son discours, comme son débit, avait été soigneusement répétés. Et la réaction d'Elizabeth était celle espérée. L'argumentation était logique, raisonnable, irréfutable. Le point vulnérable d'Elizabeth, c'était Amy. Rebecca n'avait pas perdu de temps en vaines escarmouches, elle avait visé directement la veine jugulaire.

Aveuglément, Elizabeth n'avait jamais considéré l'avenir... peut-être parce qu'elle n'était pas persuadée d'être désirée par Jed autrement que physiquement. Mais si c'était le cas, que ferait-elle ? Il était impossible de résoudre un problème avant qu'il ne se présentât.

Tard dans l'après-midi, elle téléphona à la ferme pour prendre des nouvelles de Jed. Elle espérait secrètement pouvoir lui parler. Freda répondit.

— Comment va Jed ? demanda Elizabeth, s'efforçant d'exprimer un degré d'intérêt convenable.

— Bien. Il a fait un bon déjeuner et s'est endormi tout de suite après. A mon avis il a l'intention de dormir vingt-quatre heures d'affilée. C'est probablement ce qu'il y a de mieux pour lui, répondit gaiement Freda.

— Oui, vous avez sans doute raison, convint Elizabeth à contrecœur.

— Viendrez-vous nous voir ce soir ?

— Je ne pense pas. Je voulais seulement m'assurer qu'il allait bien.

Elle n'avait pas de raison de se rendre à la ferme. Comme toujours, c'était à Jed de jouer.

— J'ai pas mal de retard à rattraper ici à la maison.

— Je lui dirai que vous avez appelé.

— Oui. Au revoir, Freda.

Elle replaça lentement le récepteur.

Bizarrement le temps lui sembla passer très vite. Ce fut avec un sursaut qu'elle s'aperçut que deux journées entières et encore une matinée avaient passé depuis son départ de la ferme des Reisner. Loin de diminuer, la tension s'était accrue. Incertitude et indécision la poursuivaient partout.

Jed se rétablissait rapidement, du moins d'après Freda. Elizabeth n'avait eu aucun signe de lui. Son instinct lui disait qu'il reviendrait au moment où elle l'attendrait le moins.

S'avançant vers la fenêtre ouverte de la cuisine, elle jeta un coup d'œil dehors, et vit Amy s'amusant à la table du patio.

— Il est bientôt l'heure de déjeuner, Amy. Tu devrais aller te laver les mains. Nous le prendrons à la cuisine puisque ta grand-mère n'est pas là.

Distraitement Elizabeth versa la soupe dans les bols, et découvrit l'assiette de sandwiches qu'elle disposa sur la table.

Elle tenait une boîte de lait à la main lorsqu'une voix profonde demanda :

— En aurez-vous assez pour trois ?

140

D'un geste vif elle posa le carton sur la desserte, une joie immense déferlant sur elle. Elle n'avait pas besoin de se retourner pour savoir que Jed était de retour.

— Bien sûr, il y aura assez, Jed, répondit-elle avec chaleur, lui jetant un coup d'œil par-dessus son épaule tandis qu'il approchait.

— Vous avez une mine superbe.

— Complètement rétabli.

Il avança vers elle, la regardant intensément de ses yeux fauves. Fascinée, elle lui rendit son regard. Rien en lui ne rappelait la maladie.

— Vous êtes dans une forme merveilleuse, dit-elle d'une voix entrecoupée.

Il leva un sourcil railleur.

— Vous de même, murmura-t-il.

— Oh quelle chance ! De la soupe à la tomate, celle que je préfère, annonça Amy, se hissant sur une chaise.

Jed sourit.

— Je crois que l'un de nous a faim ! Peut-être devrions-nous passer à table.

— Asseyez-vous. Je vais chercher un autre siège.

Manger était le dernier de ses soucis. Elle fit semblant de manger son potage et de grignoter un sandwich.

— Ami doit aller cet après-midi à un goûter d'anniversaire ? observa Jed.

— Quand vous a-t-elle dit cela ?

— Dehors, dans le patio.

— Je ne vous y ai pas vu, murmura-t-elle.

— Je sais.

Il prit un air amusé et des petites rides se creusèrent autour de sa bouche.

— Que faites-vous cet après-midi ?

— J'ai une réunion.

Elle n'essaya pas de dissimuler la déception qui perçait dans sa voix, tandis qu'elle fixait son assiette sans la voir.

— Je suis secrétaire. Je suis obligée d'y aller.

— Je vois, répondit-il d'une voix égale, sans chercher à la dissuader.

Tout en débarrassant la table, Elizabeth envoya Amy s'habiller pour la fête, lui rappelant de prendre son maillot de bain et une serviette puisque les réjouissances prévues comportaient une visite à la piscine municipale. Jed s'éclipsa dans une autre partie de la maison. Elle ne le vit nulle part lorsqu'elle monta se changer pour sa réunion. Mais il était avec Amy dans le vestibule d'entrée quand elle redescendit.

— Voyez-vous un inconvénient à ce que je fasse le chauffeur ? demanda-t-il.

— Aucun.

Elizabeth secoua la tête. Rebecca ayant pris l'autre voiture, la sienne demeurait l'unique moyen de transport. De toute évidence il voulait s'en servir.

La conversation se réduisit au minimum pendant le trajet. Seule Amy jacassait. Elizabeth ne cessait guère de regarder Jed à la dérobée, mais rien dans son expression impassible n'indiquait qu'il partageât sa déception. Le vieux sentiment familier de découragement lui tomba comme une cape sur les épaules. Heureusement Amy était trop excitée par la fête pour remarquer le sourire triste de sa mère lorsqu'ils la déposèrent chez son amie. Elizabeth regarda par la vitre, se demandant ce qu'elle pourrait dire pour rompre le silence.

— Tournez à gauche au prochain croisement. La maison des Hanson est la troisième sur la droite.

Mais Jed traversa le carrefour sans s'arrêter.

— Je voulais dire la rue que nous venons de dépasser.

Elizabeth désigna un point derrière eux.

— Il faudra que vous tourniez autour du pâté de maisons.

Jed lui jeta un bref coup d'œil et au croisement suivant, qui aurait pu leur permettre, par un détour, de rebrousser chemin, continua droit devant lui.

— Je dois aller à cette réunion, lui rappela-t-elle en fronçant les sourcils.

Jed ralentit, se rangea au bord du trottoir et s'arrêta, en laissant le moteur en marche. Il se tourna sur son siège et la regarda en face.

— Que préférez-vous? vous rendre à cette stupide réunion ou venir avec moi? demanda-t-il, à bout de patience.

— Je préférerais venir avec vous... commença Elizabeth poussant un soupir de frustration.

— Alors la question est réglée.

Il embraya et la voiture se remit à rouler.

— Mais, Jed...

— Je ne sais pas ce que vous en pensez, mais pour moi, je ne veux pas attendre jusqu'à ce soir, dit-il fermement. Nous avons à parler et nous avons déjà trop retardé le moment. N'êtes-vous pas d'accord?

— Si, capitula Elizabeth, ne se souciant pas le moins du monde de la réunion où elle était censée se rendre.

Le sourire lent de Jed sembla l'atteindre et la toucher presque physiquement. Le problème qui l'avait tant préoccupée et dont elle avait ajourné la solution, se rapprochait à vue d'œil. Elle ne savait pas encore comment elle le résoudrait, mais il lui fallait y être confrontée. Seulement alors elle pourrait prendre une décision.

10

Le silence s'installa dans la voiture. Elizabeth ne parvenait pas à deviner où Jed l'emmenait. Le dernier endroit auquel elle aurait pensé était le petit aérodrome municipal, mais Jed s'y engagea.

— Que faisons-nous ici ?

Elle lui lança un regard curieux tandis qu'il se rangeait à côté de trois autres voitures, devant le bureau de vol, et coupait le contact.

— C'est un peu mon ancien royaume... J'ai passé plus de temps ici qu'à l'école ou à la maison, à part mes équipées chez Kurt.

Elizabeth digéra silencieusement cet élément d'information, observant son air heureux. Une légère bouffée de brise tentait d'emplir la manche à air orange.

— Voulez-vous dire... demanda-t-elle d'une voix hésitante, vous voliez ?

Jed baissa les yeux. Un sourire joyeux, animait ses lèvres. De son bras il entoura les épaules d'Elizabeth et il lui fit faire demi-tour.

— Venez, je vais vous montrer, dit-il.

Entrant dans le bâtiment, il fit un signe de la main à une employée d'un certain âge derrière le guichet et guida Elizabeth vers le hall qui conduisait aux bureaux privés du fond. Il ouvrit une des portes qui donnaient sur le hall.

— C'est ici que Sam suspend ses pans de chemises.

— Pans de chemises ? répéta-t-elle, tandis qu'elle le précédait pour entrer.

— C'est une cérémonie à laquelle se soumettent tous les futurs pilotes, expliqua-t-il. Lorsqu'un élève vient de faire son premier vol en solitaire, son moniteur coupe le pan de sa chemise et l'accroche au mur. C'est ce que l'on appelle « arracher les plumes de la queue ».

Il la conduisit jusqu'au mur bigarré de bandes de tissu de tous les dessins et de toutes les couleurs.

— Voici le mien, dit-il.

Sur un pan de chemise bleu pâle étaient griffonnés le nom de Jed et une date. Elizabeth fit un rapide calcul mental et le regarda avec surprise.

— Vous n'aviez que seize ans ! dit-elle dans un souffle.

Jed eut un petit rire.

— J'ai eu un mal du diable à convaincre Sam de m'apprendre sans l'autorisation de mes parents. Il savait qu'en cas d'accident, mon père ne le raterait pas.

— Ils n'étaient pas au courant ?

— Ils ont fini par le découvrir. Quelqu'un de la ville m'avait vu atterrir seul et le fit savoir à Père. Il me manquait seulement quelques heures pour mon brevet quand il me coupa les fonds. Heureusement Sam me permit de gagner ce qui restait à payer en me faisant travailler ici. Au collège, je voulais me spécialiser en aérodynamique, mais Père refusait d'en entendre parler. Il payait les cours et exigeait que je fasse du droit, comme tous les Carrel... Venez, marchons un peu.

Sans se presser, ils arrivèrent du côté des hangars. Dans l'une des remises, un homme en salopette travaillait sur un avion. Lorsqu'il les repéra, il mit ses mains en porte-voix et cria :

— Veux-tu que je te sorte le bimoteur, Jed ?

— Pas aujourd'hui, Sam.

Elizabeth était blottie au creux de son bras. Elle

renversa la tête pour contempler son visage, le cœur en fête devant la chaleur de ses yeux fauves.

— Etes-vous venu ici souvent depuis votre retour ? demanda-t-elle.

— Vous ne pensiez tout de même pas que je passais tout ce temps à la ferme des Reisner ! répondit-il avec un large sourire.

— Je ne savais pas où vous étiez, ni avec qui.

— Mais vous imaginiez... dit Jed pour la taquiner, resserrant l'étreinte de son bras autour de ses épaules tandis qu'ils passaient sous l'aile d'un appareil retenu au sol par des câbles d'acier.

— Si je disparais un jour après notre mariage, ne téléphonez pas au terrain de golf. Prenez votre voiture jusqu'à l'aéroport le plus proche et sans doute vous m'y trouverez.

Elizabeth s'arrêta brusquement, son regard se figea sur le visage de Jed et son cœur cessa presque complètement de battre.

— Qu'est-ce qui ne va pas ? demanda-t-il.

— Qu'avez-vous... qu'avez-vous dit à l'instant ? murmura-t-elle.

— J'ai dit...

Jed s'arrêta d'un coup et parut rire intérieurement.

— Je n'avais pas l'intention de vous faire ma demande de cette façon.

— Voulez-vous dire que vous désirez m'épouser ? dit Elizabeth, à voix basse, n'y croyant pas encore tout à fait.

— Que pensiez-vous... ?

Jed lui sourit doucement tandis qu'il la tournait dans ses bras, les mains étroitement jointes autour de la taille d'Elizabeth.

Fermant les yeux, elle appuya la tête contre sa poitrine et sentit les lèvres de Jed effleurer ses cheveux en une tendre caresse.

— J'avais peur de penser.

Sa voix tremblait.

— Il y avait toujours la possibilité que vous cherchiez seulement une aventure…

De son doigt il lui souleva le menton.

— Vous en seriez-vous contentée ?

— Si je n'avais pas pu avoir davantage… répondit-elle sincèrement, tout l'amour de son cœur se lisant dans ses yeux scintillants.

Le baiser qui écrasa ses lèvres était marqué au coin de la possession. Ce fut une étreinte dure, brève, comme pour la punir d'avoir douté de la profondeur de sa passion. Il y avait une flamme résolue dans ses yeux quand il releva la tête.

— Maintenant vous le savez : je veux vous avoir pour toujours, dit Jed fermement. Vous m'avez appartenu dès le soir où Jeremy vous a amenée à la maison.

A cet instant Elizabeth ne voulait pas penser, seulement vivre. Elle voulait faire durer ce moment pour l'éternité, se repaître de son amour pour le reste de son existence. Mais elle ne le pouvait pas. Du moins pas encore.

— Et Amy ?

Elle contempla un instant le col ouvert de sa chemise avant de lever sur son visage des yeux anxieux.

— Amy fait partie de vous-même… Vous redoutiez que je vous demande de vous en débarrasser ?

Il rit, quelque peu dérouté.

— Je… n'étais pas sûre, dit Elizabeth d'une voix toujours chancelante.

— Maintenant vous savez, répondit-il patiemment, lui soulevant le menton lorsqu'elle voulut détourner la tête. Vous n'avez pas dit si vous acceptez de m'épouser, Liza.

— Oui, mais…

Jed se raidit.

— La réponse n'est jamais « oui » quand un « mais » y est attaché.

Une nuance de réserve attentive enlevait de la chaleur

148

à son regard. Il étudiait intensément l'expression coupable d'Elizabeth.

— Qu'est-ce qui vous inquiète ?

— Jed, si j'étais seule en cause... je... je vous épouserais dans la minute. Il me serait égal de vivre dans le réduit de quelque aéroport ou dans une hutte de paille sur une plage, du moment que nous serions ensemble. Mais je dois penser au bien-être d'Amy.

— Que demandez-vous ? Si je peux vous assurer le train de vie auquel vous êtes habituée ? demanda Jed en l'observant de près.

— Non, protesta-t-elle.

— Qu'y a-t-il, alors ? Mesurez-vous la confiance que vous accordez à un homme par la dimension de son compte en banque ?

— Quelle sorte de mère serais-je, Jed, si je ne me préoccupais pas de savoir comment notre mariage pourrait affecter Amy ? demanda-t-elle calmement, baissant le menton pour ne pas avoir à croiser son regard accusateur.

— Vous pourriez avoir suffisamment confiance en moi pour savoir que je prendrais soin de vous deux, répondit-il d'un air mécontent.

— Je comprends que vous soyez blessé, répliqua-t-elle d'une voix étouffée. Vous avez tous les droits de réagir ainsi. Mais je vous supplie de comprendre ma réaction. Ma vie dépend de vous, Jed. Et celle d'Amy dépend de moi.

Il se détourna, passant ses doigts dans ses épais cheveux bruns. Puis il la regarda de nouveau, ses yeux assombris par une fureur contenue.

— Que faudra-t-il pour vous voir décider si vous m'épousez ou non ? dit-il d'un ton brusque et cassant.

— Seulement un peu de temps, murmura Elizabeth. Je ne m'attendais pas à votre demande en mariage. Je... je voudrais y réfléchir. Oh, Jed, je vous aime passionnément... il faut le croire. Simplement, je ne veux pas vous donner une réponse maintenant, nous pourrions la regretter tous les deux.

— Je ne regretterai jamais de vous aimer. S'il vous faut du temps, vous l'avez.

Il sortit une main de sa poche et la lui tendit ; des clés tintaient dans ses doigts.

— Tenez, je rentrerai à la maison par mes propres moyens.

— Jed !

Il l'interrompit vivement.

— J'ai envie d'être seul, Elizabeth. Il y a un certain nombre de questions auxquelles j'ai besoin de réfléchir, moi aussi.

— Je vous aime, murmura-t-elle douloureusement, incapable de s'affranchir d'un sentiment de trahison.

— Si je ne le croyais pas, je ne vous laisserais pas partir.

Arrivée à la voiture, elle s'arrêta, prête à retourner vers Jed. Sa réponse était oui. Elle ne pouvait être autre. Sans Jed elle serait une coquille vide. Elle lui avait déjà donné son cœur, elle ne pouvait pas le reprendre. Peut-être Amy serait-elle privée de quelques avantages matériels, mais elle participerait à ce bonheur et à cet amour d'Elizabeth et Jed : cet avantage-là n'avait pas de prix.

Mais elle ne courut pas vers Jed comme elle le souhaitait. Il avait demandé à rester seul et elle se sentait le devoir de respecter son désir. Elle lui donnerait sa réponse à la minute même où il rentrerait à la maison. Il lui restait seulement à prier qu'il accepte son amour et sa confiance absolue.

Deux heures plus tard, elle était assise au piano, retrouvant la mélodie d'une romance d'amour populaire. Une brise légère dansait à travers les baies grandes ouvertes. La porte d'entrée s'ouvrit et se referma. Ses doigts reposant silencieusement sur les touches, elle dirigea nerveusement vers le vestibule un regard ardent.

Ses yeux verts anxieux étaient illuminés d'amour. Ce fut Rebecca qui apparut sous la voûte d'entrée.

— Ainsi, vous êtes là, dit sa belle-mère d'un ton acerbe. Mme Hanson a dit que vous n'étiez pas à la réunion aujourd'hui. Vous ne vous étiez même pas donné la peine de la prévenir de votre absence. Elle a téléphoné ici, mais personne n'a répondu.

— Je n'y étais pas.

Elizabeth reporta son regard vers le piano.

— J'étais avec Jed.

Il y eut un instant de silence attentif.

— Je vois, murmura Rebecca.

Elle entra lentement dans la pièce.

— Où est-il maintenant ?

Machinalement, les doigts d'Elizabeth se mirent à jouer de la musique douce pour diminuer la tension qui régnait soudain dans la pièce.

— A l'aéroport.

— Il s'en va ?

— Non. Non, il sera là tout à l'heure, assura fermement Elizabeth, un léger sourire au coin des lèvres.

— Vous en avez l'air bien certaine...

— Il m'a demandé de l'épouser. Je lui ai dit que je voulais y réfléchir.

— Vous avez très bien fait, ma chère. Je vous savais trop raisonnable pour vous laisser tourner la tête par un charmant propre à rien comme mon fils. Si vous voulez vous remarier, vous pouvez sûrement trouver un partenaire plus approprié, déclara Rebecca d'un ton qui trahissait sa satisfaction.

— Je ne crois pas que vous m'ayez comprise. Je n'ai pas dit non à Jed. En fait, j'ai décidé de l'épouser. Si je ne le faisais pas, je le regretterais toute ma vie.

— Mais Amy ?

— Nous prendrons soin d'Amy. Nous serons deux à veiller sur elle, répondit Elizabeth avec confiance.

— Vous ne pouvez pas vivre d'amour ! déclara

Rebecca. Comment croyez-vous qu'il va subvenir aux besoins de votre ménage ? Il n'a ni argent ni travail !

— C'est notre affaire, Rebecca.

— Ne soyez pas si stupide ! Vous ne pouvez...

La sonnerie stridente du téléphone l'interrompit. Rebecca lui lança un regard furieux avant de céder à son injonction et d'aller répondre. Elizabeth sourit devant l'impatience, à peine déguisée, qui perçait dans la voix de sa belle-mère lorsqu'elle eut décroché le récepteur. La décision d'Elizabeth était irrévocable. Rien ne la ferait changer d'avis.

— L'interurbain ? Non, il n'est pas ici.

Rebecca parlait d'une voix vive.

— Oui, je l'attends plus tard. Il a été souffrant plusieurs jours. C'est peut-être pour cette raison que vous n'avez pas pu le joindre.

Elizabeth avait écouté distraitement, curieuse de savoir qui appelait Jed de si loin, mais sans prêter beaucoup d'attention jusqu'à ce qu'elle perçoive la note d'intérêt aigu dans la voix de sa belle-mère.

— Puis-je prendre un message pour lui ? Je suis sa mère.

Rapidement elle commença à griffonner des notes sur le bloc placé à côté du téléphone.

— L'offre venait de qui ? Oui, j'ai noté le montant. Je lui ferai le message à la minute où il rentrera.

Rebecca raccrocha lentement, contemplant la feuille qu'elle tenait à la main.

— Qui était-ce ? demanda Elizabeth, dont la curiosité augmentait devant le comportement bizarre de sa belle-mère.

— C'était l'avocat de Jed à Honolulu. L'avocat de Jed, répéta-t-elle comme si elle ne pouvait y croire. Une firme vient de faire une offre pour l'achat de sa compagnie aérienne.

— Je ne comprends pas.

Le front d'Elizabeth se plissa.

— Moi non plus...

Rebecca eut un rire bref, incrédule.

— Il semble que Jed possède cette compagnie qui transporte du frêt aérien dans les différentes îles du Pacifique et sur une partie du continent asiatique. Pourquoi ne nous l'a-t-il pas dit ? Le saviez-vous ?

— Non, je n'en avais aucune idée.

— Il est...

Rebecca brandit son feuillet pour preuve.

— ... un homme riche. Oh, Elizabeth !

Un sourire traversa son visage tandis qu'elle se précipitait vers sa belle-fille et lui prenait les mains.

— Naturellement vous devez accepter sa demande. Je m'occuperai de tous les arrangements pour le mariage. Il y aura une petite réception, pas trop de...

— Je crois que vous avez un message pour moi, Mère.

La voix tranquille de Jed trancha l'air avec la mortelle précision d'un coup d'épée.

La stupéfaction sur le visage d'Elizabeth se mua en horreur, lorsqu'elle pivota sur elle-même pour le voir sur le seuil de la grande baie vitrée. Son regard dur confirmait ce qu'elle avait deviné : il avait surpris leur conversation. Ses yeux d'or félins la paralysaient sous les effusions de Rebecca qui proclamait combien elle était fière de son fils et enchantée de ses fiançailles avec Elizabeth.

Un sanglot déchira la gorge de la jeune femme. Plus jamais désormais il ne pourrait la croire. Elle ne pourrait jamais le convaincre qu'elle avait décidé de l'épouser, avant de découvrir sa richesse. Quoi qu'elle pût dire, il croirait toujours que le coup de téléphone avait influencé sa décision.

Avec un cri de douleur étouffé, elle s'arracha à son regard, les larmes brûlant ses yeux et ses joues tandis qu'elle s'enfuyait de la pièce. Elle l'entendit prononcer son nom, mais sa volonté de fuir en fut encore accrue. Elle l'aimait trop profondément pour supporter la brûlure de ses moqueries en cet instant. Elle ouvrit violemment la porte d'entrée sans se soucier de la refermer, et se hâta dans l'allée.

Avant qu'elle pût rejoindre la voiture que Rebecca avait laissée devant le garage, une main s'enfonça dans la peau tendre de son bras, mettant une fin abrupte à sa fuite et lui faisant faire un tour sur elle-même. Elle se débattit sous la poigne de fer.

— Lâchez-moi! Je vous en prie, Jed, lâchez-moi, supplia-t-elle, tournant et retournant la tête pour lui cacher les larmes qui ruisselaient sur son visage.

Mais il restait sourd à ses protestations. Il attira le corps rigide d'Elizabeth contre le sien et la contraignit à renverser la tête en arrière pour accueillir son baiser ferme et prolongé.

Il continua à l'embrasser jusqu'à ce qu'elle cesse de lui résister. Alors seulement il libéra ses lèvres, et la laissa enfouir son visage contre sa poitrine.

— Je sais que vous ne me croirez jamais... Je vous le jure, j'avais décidé de vous épouser avant ce coup de téléphone.

— Ne pleurez plus... J'étais dans le patio.

— Je le sais, fit-elle, la voix vibrante de douleur et je sais ce que vous devez penser de moi.

— Vous ne comprenez pas.

La forçant à relever la tête, il essuya tendrement les larmes de sa joue.

— J'ai tout entendu. J'étais dans le patio et je vous écoutais jouer du piano avant l'arrivée de Mère. Vous lui avez dit que vous alliez m'épouser avant la sonnerie du téléphone. Ainsi vous voyez, chérie, je sais que vous dites la vérité, que vous êtes prête à m'épouser pour le meilleur et pour le pire.

— Oh, Jed! souffla Elizabeth dont les yeux se fermèrent une seconde, j'avais tellement peur...

— Oui, chérie...

Il la serra plus étroitement dans ses bras.

— Maintenant c'est à moi de vous demander de me pardonner. Je n'ai pas été très honnête de vous avoir

154

dissimulé la vérité, et d'avoir exigé que vous preniez une décision sans savoir quel avenir je pouvais vous offrir.

— Pourquoi n'avez-vous rien dit à personne ? demanda-t-elle doucement, ses mains caressant amoureusement son visage. Vous auriez dû être fier de votre succès !

— C'était le stupide orgueil des Carrel. Je voulais que l'on me fasse fête pour moi-même, non pour ma réussite. Kurt et Sam, mes amis, ont été les seuls qui se soient montrés capables de le faire. Et toi, mon amour, ma ravissante Liza.

Il l'embrassa doucement.

— Je crois avoir quelques affaires à traiter à Hawaii. Vois-tu une objection à ce que nous y passions notre lune de miel ?

— Non, dit-elle avec un sourire étincelant.

— Il nous faudra un mois ou davantage avant de pouvoir revenir.

— Ici ? Elizabeth fronça les sourcils. Avec ta mère ?

— Seigneur, non !

Jed se mit à rire.

— J'aime ma mère, mais je ne pourrais jamais vivre sous le même toit. Nous trouverons une maison qui nous appartienne, à nous et à Amy. Pas trop éloignée, parce que Mère à besoin de nous. Elle n'a rien, chérie, et nous avons tout. Elle a besoin de notre amour.

Il pencha la tête sur ses lèvres.

— Et j'ai besoin du tien...

ETUDE DES POISSONS

par Madame Harlequin

(19 février-20 mars)

Signe d'Eau
Maître planétaire : Jupiter
Pierres : Turquoise, Chrysolite
Couleurs : Bleu azur, Marine
Métal : Etain

Traits dominants :

Fidélité, loyauté
Rêveur, imaginatif, très émotif
Agit plus par intuition que par raisonnement

POISSONS

(19 février-20 mars)

Fidèle, loyale envers l'homme qu'elle a épousé et envers sa famille, Elizabeth vit aux côtés de sa belle-mère sans se rendre compte qu'elle se laisse habilement manœuvrer. Une autorité trop directe n'aurait sur elle aucun effet, mais l'emprise cachée qu'exerce Rebecca la laisse soumise et douce. L'arrivée de Jed ne peut donc que bouleverser la vie bien ordonnée de notre héroïne native des Poissons. Mais ce bouleversement est en fin de compte bénéfique puisque Elizabeth trouve en Jed l'équilibre et le bonheur qu'elle n'avait jamais connus.

UNE GRANDE NOUVELLE

"Quatre livres par mois, cela n'est
pas suffisant!"

Voilà ce que nous ont écrit de nombreuses
lectrices. Tant et si bien que nous nous
sommes laissé convaincre...

Maintenant, la Collection Harlequin vous
offre, chaque mois, six nouveaux romans.

Titres déjà parus
dans la Collection Harlequin

Titres déjà parus
dans la Collection Harlequin

Ces titres sont disponibles à votre dépositaire.